野生生物は「やさしさ」だけで守れるか？

―命と向きあう現場から

朝日新聞取材チーム

岩波ジュニア新書 988

はじめに——捕まる野生動物を「かわいそう」と感じる気持ちは大切だけど……

「住宅地にクマが出てきて人が襲われた」「電車とシカがぶつかった」——そんなニュースに触れる機会が増えました。2020年に、東京都足立区にひょっこり現れたオスのニホンジカもそんな例の1つでした(**写真0-1**)。

シカが見つかったのは6月2日の朝のこと。後日取材に応じてくれた足立区の職員さんは、このシカの第一印象を「大きくて速い。街中に出ることを考えると、絶対に放置できないと思った」と話しました。シカが道路に飛び出すようなことがあれば、車とぶつかったり、避けようとハンドルを切った人が事故を起こしてしまったりする恐れがあります。地元の警察や足立区役所の人たちがたくさん出動してなんとか捕まえようと2日がかりで頑張りました。最後はやぶの中にいたシカを誘導し、サッカーのゴールネットを使って捕まえたそうです。

ところが、その職員さんは当時のことを「捕まえるより捕まえた後が大変だった」と振り

写真 0-1　東京都の荒川河川敷に現れたシカ

返っていました。捕まえたシカについて「かわいそうだけど殺処分する可能性がある」というニュースが報じられると、足立区役所には意見や抗議、苦情が殺到したのです。その数はなんと3日間で約700件。電話の回線はパンクしてつながらないほどでした。多くは「山に帰せないのか」「自分が飼いたい」というような内容でしたが、区役所の職員さんを頭ごなしにしかりつけるような人も少なくなく、なかには「殺処分するならお前が死ね」などというものまであったといいます。

当時の足立区の記録を見ると、シカを捕まえる前から都内の動物園に受け入れについて相談したり、いくつもの自治体や教育機関などに引き取ってもらえないか聞いてみたりしたものの、断られたことが書かれていました。また「殺処分する可能性」がニュースになった後の2日間は「終日、外部からの問い合せ対応」と記されていました。シカのことにかかりきりになってしまったことが分かります。

なんとかできないものかと困ってしまった足立区に対して、千葉県市原市にある動物園が手をさしのべました。その動物園が引き取ってくれるというのです。こうして足立区に出てきたシカの命は助かることになりました。

めでたしめでたし……でしょうか？

環境省によると、日本には、昔に比べてずっとたくさんのシカがいます。2022年度末の時点で、本州から南の地域には合計約246万頭のシカがすんでいました。これに加えて北海道に70万～90万頭くらいのシカがいるとみられていました。そして各地で農作物やせっかく植えた木の苗を食べてしまったり、山の草を食い荒らして丸裸にしてしまったりするなど、増えすぎたシカは大きな問題になっています。

いろいろな被害を抑えたり防いだりしようと、日本中で今、たくさんのシカが捕まえられています。ここ数年は駆除する目的での捕獲だけでも毎年50万頭前後で、狩猟も合わせると70万頭にもなります。ただ、それだけたくさんのシカを駆除しているのに、その効果は全国的に実感できるとはいえない状況です。

一方で、たまたま街中に出てきた1頭のシカが殺処分されるかもしれないとなると、なんとなく「かわいそうだな」という気持ちになったり、なんとか救ってあげられないか必死になったりする人がいるのも事実です。なかには怒り出してしまう人がいることも、すでに見た通りです。

数十万頭の命は奪いつつ、1頭の命を守ろうと一生懸命になる。なんだかとてもモヤモヤしますね。

生きものを前にして「かわいい」と感じたり、命が尽きようとしている様子に「かわいそう」という感情を抱いたりすることは自然なことです。そういう気持ちを持つ人は、きっと心の優しい人だと思います。

でも、生きものを守っていこうとしたり、うまく共存を図ったりしていくためには、目の前の生きものへの思いだけではなく、それ以外にも、いろいろと考えなければならないことがあります。しかも、考えてみなければならないことは、現場によって様々、まさにケースバイケースです。実際にそうした活動に取り組んでいる人たちでさえ、悩んでしまうことがしばしばあります。そのくらい難しい問題なのです。

この本は、動物園に引き取られたシカのその後を追いかけるところから始まります。他には、身近なアカミミガメ(ミドリガメ)や、マングースといった、もともとは海外から持ち込まれた生きものを捕まえて駆除する人や、河口付近に迷い込んでしまったクジラを前に悩む人たちが登場します。登場する人たちの多くは「生きもの好き」だったり、大学院で博士号をとった「生きものハカセ」だったりします。みなさんの周りにも、そんな風に呼ばれている友達や知り合いはいませんか? これから先、同じような難しい問題に出会うことになる人もきっといるでしょう。

一方で、「こうすればいい」「こう考えるのが正解」という単純な答えはほとんど出てこないことを最初にお断りしておきます。むしろ、現場の人たちがどんなことに悩んでいて、どんな思いを抱えているのか、そして、どうやって今の自分なりの考えにたどり着いたのかといったことを主に紹介していきます。各エピソードについて関連するような研究や話題、意見なども取り上げて、いろいろなことを広い視野で考えられるようにしたつもりです。

みんなが納得できる正解はなくても、「自分ならどうするだろうか」と一緒に悩んでみてほしいと思います。なお、特に断りのない限り、「代表」とか「市長」といった登場人物の肩書きは取材当時のものをそのまま使っています。

本を始める前に少しだけ、この本を書いた「取材チーム」の自己紹介をさせてもらいます。メンバーは矢田文、杉浦奈実、小坪遊という、朝日新聞の3人の記者です。朝日新聞大阪本社の科学医療部(現・科学みらい部)という部署で2021年度に一緒に働いていました。その時に生きものの最期を前にして感じる「かわいそう」という気持ちについて話し合って取材をし、連載企画をつくったことが、この本を書くきっかけとなりました。

3人とも大学の学部や大学院では生物学を勉強しました。矢田記者は沖縄でサンゴ礁にすむ魚の研究をしたり、地元での環境調査に参加したりしていました。杉浦記者はどんぐりが大好きで、大学院でもどんぐりの研究をしました。小坪記者はダニやアリの研究をしていましたが、野菜の収穫や生きものの世話の方が好きでした。

私たちもそれぞれが「生きもの好き」です。みなさんにこの本を手に取ってもらったことをうれしく思っています。

目次

第1章
人気者が広げた波紋

草をもらって食べるニホンジカの「ケープ」

◉あのシカに会いに行く

２０２１年５月、記者(小坪)は、東京駅から高速バスに乗って、千葉県市原市の動物園「市原ぞうの国」をめざしました。バスは東京湾を横切る東京湾アクアラインを使って１時間あまりで、山あいにあるバスターミナルに着きました。園まではあと１・５キロほどです。

せっかくなので歩いて行ってみようと、30分ほどかけてゆっくり登っていくと、「市原ぞうの国」に着きました。目的は、２０２０年に東京都足立区で捕まった後に、ここに引き取られたオスのニホンジカに会い、動物園の方に取材をすることでした。取材に行く少し前から園内での公開が始まっていました。

当時の園内は改築作業の最中。取材の対応などをする広報の担当者、佐々木麻衣さんに案内してもらいながら進んでいくと、「ぞうの国」というだけあって、何頭ものゾウの姿を横目に見ることができました。捕まったオスのシカは、「逃げる」という意味の英語「エスケープ」から「ケープ」と名付けられました。ここからはケープと呼ぶことにします**(本章扉の写真)**。

お目当ての場所にたどり着くと、佐々木さんが「ケープ、おいで」と呼びかけました。すると柵の向こう側にシカが現れました。近づいて見てみると、真っ黒な目がくりっとしていて、なかなか魅力的な顔立ちです。毛並みもきれいで健康そうでした。確かにかわいいなとも感じました。

「どうですか」と、佐々木さんが、ケープが食べる草を手渡してくれました。エサとして与えてもいいということだったので、試しに柵越しに差し出してみるとむしゃむしゃと食べました。エサを食べた後は警戒心が薄れたのか、写真を撮ろうとすると柵の隙間から鼻面を突き出すこともありました。野生動物というよりは、動物園のふれあいコーナーにいるヤギやヒツジのような感じでした。

柵には受け入れた後のケープについて簡単な説明書きがありました。半年経っても警戒感を隠さなかったものの、そのうちに人の手から直接エサを食べるほどなれていったということでした。

園を訪れる人の中には、ケープが巻き起こした騒動をよく知っている人もたくさんいたようでした。立ち止まり、「あのシカですか。ここに来たんですね」と驚く人や、「会いたいと思って来たんです」と喜びの声をあげる人もいました。佐々木さんが軽く説明すると、笑顔で「会えてよかったね」と、うなずき合う人たちもいました。

なかなか引き取り手が見つからなかったケープを受け入れた市原ぞうの国ですが、すんなりと受け入れを決めたわけではありませんでした。

◉「とにかくかわいそうだった」

それまで野外にいたこともあり、ケープを引き取れば、病気や寄生虫を園内に持ち込まれる恐れもありました。もしそうなれば、飼育している他の動物を危険にさらすことにもなりかねません。園内では受け入れに反対する人もいれば、慎重な意見も出ていたといいます。

ただ、佐々木さんはこう言います。「とにかくケープがかわいそうだった。足立区も困っていたし、命を大事にしたいと思い、1頭くらいなら大丈夫だということで引き取ることにしました」

やって来たケープは、しばらく隔離（かくり）されてしっかりと検査を受けた後、ある程度人になれてから公開されました。記者が訪れた際には、2頭のメスと一緒に飼われており、お見合い中とのことでした。後に子どもも誕生したことをニュースで知りました。子どもは「リンク」と名付けられています。英語で「輪」とか「絆（きずな）」といった意味で、物事のつながりを指す言葉です。名前には「命をつなぐ大切さ」という意味が込められているのだということでした。

◉昔は保護されていたのに

「はじめに」で少し触れたように、今は日本中でシカによる農作物などへの被害を抑えたり、防いだりしようと、捕獲（駆除）が行われています。でも、ずっと駆除が続けられてきたわけではありません。シカはむしろ、かつては大事に保護されていた動物でした。

環境省によると、シカは明治以降、乱獲されるなどして大きく数を減らし、戦後には積極的に保護されるようになりました。メスのシカが狩猟の対象から外されたり、自治体によっては全面的に捕獲が禁止されたりしました。保護の効果もあって、その後シカは急増しました。本州以南だけで１９８９年度には30万頭足らずと推計された個体数は、２０１４年度には約２６０万頭にもなりました。30年も経たずに8倍以上にもふくれあがった計算になります。

そうして数を大きく増やしたシカによって、日本中で様々な被害が出たり、困った問題が持ち上がったりしているのです。ここでは3つのことを取り上げます。

1つはせっかく作った農作物を食べてしまうことです。その被害額は２０２２年度で約65億円。イノシシやサルといった他の動物よりも多く、しかもイノシシやサルによる被害額は少しずつ減っているのに、シカだけはなかなか減っていません。

2つ目は、増えすぎたシカによって食べられてしまうことで、貴重な植物が絶滅の危機に追いやられたり、山の地面がむき出しになって大雨の際などに土が流れ出てしまったりすることです。貴重な植物がなくなれば、それをエサにする昆虫なども生きていきにくくなりますし、山の土が失われたり、川に泥となって流れ込んだりすることで、自然の姿は大きく変わってしまいます。

もう1つ、シカは私たち人間と同じ哺乳類（ほにゅうるい）です。シカが人里に出てくることで、人間にもうつる伝染病などが私たちの社会に持ち込まれる恐れが高くなってきます。２０２０年ごろから世界中でたくさんの人を苦しめた新型コロナウイルスも、もともとは野生動物が持っていたものだったと考えられています。

◉動物園で引き取れるか計算してみたら

シカは社会にとって大きな問題になっています。国はシカの個体数を適切な数まで減らす計画を立てており、各地で個体数を管理するための捕獲が続けられてきました。２０１４年度以降は年間50万頭前後が捕獲されています。ほぼ全てが殺処分されています。

それだけの数を捕まえても、なかなか目標の数までは減りません。いろいろな理由がありますが、毎年子どもを産むし、暖かい冬が増えたことで、食べ物がなくて飢え死にするシカが減ったことなどが挙げられています。

もともとは２０２３年度には目標の数にまで減らすことをめざしていたのですが、とてもできそうにないということで、この目標は２０２８年度に先送りされてしまいました。今でもすでに年間数十万頭を捕まえていますが、もっと捕まえないといけないということです。

かつては大事に保護されていて、今は増えすぎたということでどんどん捕まえられて、シカが少し気の毒にも感じられます。ただ、捕まった全てのシカを、市原ぞうの国と同じように引き取って飼うことはできるでしょうか？

簡単な計算をしてみました。

日本動物園水族館協会(日動水)という国内の動物園や水族館が集まって作る組織がありま す。この日動水の会員になっている動物園は2024年5月時点で89施設あります。それらの施設に年間50万頭捕獲されるシカを割り振ってみました。すると、1カ所あたり5600頭あまりのシカを受け入れる計算になりました。とてもじゃないですが、園がパンクしてしまいます。日動水の会員ではない施設や、とても規模が小さな動物園もありますが、それらを全部足し合わせて、日本全国に1000カ所の動物園があると仮定しても、毎年数百頭のシカを受け入れることになります。ケープに子どもが誕生したように、園内で増えることも考えられます。飼育施設の広さ、エサの確保、健康の管理……ちゃんと飼育することができるでしょうか?

◉守られるシカ、駆除されるシカ

実は、ケープの安住の地となった動物園「市原ぞうの国」がある市原市も、シカの捕獲が行われている地域です。

取材当時、市原市内では千葉県によるニホンジカの捕獲が行われていました。シカによる被害を防ぐために、国が旗を振って、県が計画を立てて実施する特別な捕獲でした。千葉県が出している資料を調べてみると、たとえばケープの公開が始まった２０２１年度には、市原ぞうの国がある地区でも捕獲が行われていました。市原市内の他の地域と、隣の町を合わせると、１０７頭のシカを捕獲していたことも分かりました。翌２０２２年度には、１１９頭のシカが捕まっていました。

こうした状況には、佐々木さんも複雑な思いがあるようでした。聞いてみると、「一方で捕獲して、一方で保護。矛盾もあると思います」と語っていました。確かに、「かわいそう」ということで1頭のシカを受け入れて大事に飼育する一方で、同じ地域で毎年１００頭以上のシカが駆除されているという事実は、簡単には割り切れないように思います。来園者に「どうして先に地元のシカを引き取らないんですか？」などと聞かれたら、困ってしまいそうな気もします。

「矛盾もあると思います」というのは、そうした簡単には割り切れない気持ちを素直に表現した言葉のように感じました。

◉海岸で見つかった瀕死のウミガメたち

次の話の舞台は千葉県からずっと南に行った、とある島の海辺です。

2023年の4月に記者(矢田)がめざしたのは、沖縄県の離島・久米島(久米島町)。沖縄本島から西へ100キロほど離れていて、那覇空港から飛行機を使えば約30分で行くことができます。いつものような関西圏での取材ではなく、この島に向かったのは、前年に起きたある事件について取材するためでした。

2022年7月14日、島の東側の海岸でアオウミガメの死体や瀕死の個体が50匹近く見つかりました。多くの個体の首元には、鋭い刃物で切ったような傷あとがありました。干上がっていたアオウミガメたちは自然に力尽きたのではなく、人間によって意図的に傷つけられていたことが判明しました。

ウミガメたちの写真は新聞やテレビ、インターネットでも紹介され、複数の海外のメディアも報じるなど、大きな反響を呼びました。県も調査に乗り出し、1週間もしないうちに、久米島町からも、「海洋環境の保全や大切さを発信してきた久米島町にとりまして、今回の事態については非常に痛ましく遺憾(いかん)であるとともに、ご心配をおかけした全ての皆様に対し、心よりお詫びを申し上げます」との声明が、日本語と英語で出されたほどでした。

◉漁師がカメを刺したわけ

事件の発生から数日後、「自分がやった」と名乗り出た人がいました。それは、ある年配の男性の漁師でした。島で40年以上も魚を捕って暮らしてきた人です。漁師や島の名産のモズクを採ったり養殖したりする人で作る「久米島漁業協同組合（漁協）」に対して、男性はこんな理由を話したそうです。

「網からウミガメを出そうと、カメを弱らせるために仕方なく首のあたりを刺した」

なぜ弱らせる必要があったのでしょうか？「仕方なく」とはどういうことでしょうか？

それを理解するには、久米島や沖縄とウミガメのことを少し知っておく必要があります。

天然の砂浜が残る久米島には毎年、多くのウミガメが卵を産みにやってきます。島の周りの海にはたくさんのウミガメたちがくらしています。そのため、漁師が魚を捕る時に捕まえるつもりはなくても、漁網(ぎょもう)にウミガメが入ってしまう「混獲(こんかく)」は、さほど珍しいことではありません。

沖縄県ではウミガメを捕獲するには、事前に県の組織に許可を取らなければいけないというルールがあります。網にかかったからといってウミガメを勝手に持って帰ることはできません。なので、島の漁師たちはウミガメを混獲したら、海に逃がすようにしてきました。男性もこれまではそのルールに従ってきたそうです。

ただ、その日はいつもとは事情が違いました。男性は１人で、漁のエサに使う魚を捕るために刺(さ)し網漁(あみりょう)をしていました。刺し網漁とは、浅瀬で帯状の網に魚を絡めて捕る漁法です。すると、長さ５００メートルほどの漁網に50匹近いウミガメが絡まっていたのです。今までは絡まったウミガメを逃がすといっても数匹の話でした。男性は漁協に対して、「５匹くらいは逃がすために運んだけれど、体力的にそれ以上はできなかった」と説明したといいます。

事件は、たまたまいつもよりたくさんのウミガメが網に絡まってしまった不運な男性が、ルールを守らず、ウミガメにひどいことをした。それだけの話なのでしょうか？　事件から９カ月以上が経過し、久米島のウミガメの問題をニュースで見る機会もなくなっていました。「久米島の人たちは今何を思うのだろうか」。そんな疑問を抱き、大阪から沖縄へ飛びました。

◉世界も認める島の豊かさ

飛行機の窓から見下ろす紺色の海が、だんだんと水色に変わっていきます。そして久米島が見えてきました。人口は約7000人(2024年2月時点)、1時間あれば車で1周できます。石垣島や宮古島など沖縄県内の他の離島に比べると小さな島ですが、とても魅力的なところです。記者は大学時代に沖縄本島に住んでいました。研究というよりはむしろ趣味で、何度か生きもの観察に訪れていた場所でした。思い入れのある島の1つでもあります。

久米島には、その地域にしか生息していない「固有種」もいます。なかでも県の天然記念物でもあるキクザトサワヘビは日本で唯一、淡水にすむヘビとして知られ、きれいな水のあるところでしか生きていけません。それだけ久米島の水がきれいに保たれてきたということです。こうしたすばらしい自然は世界にも認められています。「久米島の渓流・湿地」は、世界的に価値のある湿地を守るための国際条約「ラムサール条約」の登録湿地にもなっています。

ウミガメの事件を最初にニュースで知った時に頭に浮かんだのは、記憶に残る島の様子、

写真 1-1　沖縄県久米島の浜辺近くで泳ぐアオウミガメ

山や磯を歩けば生きものの息づかいや声が聞こえてきそうな、のどかな景色でした。今回の騒動がその景色とうまく結びつかない、そんな気持ちも持っていました。

◉ソーダ色の海に浮かぶウミガメたち

久米島空港を出ると、まだ4月にもかかわらず、半袖でも過ごせる暖かい空気に包まれ、強い日差しが肌を突き刺しました。車を走らせていくと、サトウキビ畑とその先に青い海と空が広がり、そして続いていきます。

漁協の役員を務める譜久里長徳（ふくざとちょうとく）さんに話をうかがい、瀕死のウミガメたちが見つかったという場所にも案内してもらいました。現場は岸から数百メートルのイノー（沖縄の方言でサンゴ礁に囲まれた浅い海のこと）で、陸からも望むことができました。

ソーダ色の海面からはアオウミガメがときどき顔を出しながら、ぷかぷかと気持ちよさそうに泳いでいるのが見えます（写真1-1）。お昼過ぎの時間でちょうど潮が引き始め、どうやら沖の方へ帰っていくようです。見渡すだけでも十数匹はいそうでした。沖縄の海を研究フィールドにしていた記者にとって、やはりウミガメは出会えるとなんだかうれしくなる存在です。「私も泳ぎたい」。そんな気持ちを抑え、取材を続けます。

◉増えてきたカメと心配ごと

譜久里さんは、ウミガメを刺したという男性の行為は決して肯定できるものではないと言います。その一方で、「なぜそんなにもたくさんのウミガメが一度に網にかかったのか、これからどうしたら自分たちがウミガメのいるこの海で一緒に生きていけるかを考えなければいけない」とも話しました。

実は、漁協には5、6年前から「ウミガメが増えている」という漁師からの相談が相次いで寄せられるようになっていました。島の漁師にとってウミガメの混獲はとても大きな問題です。ウミガメを逃がすため、時には大切な漁網を切らなければいけないこともあります。漁網などの漁具は高価なものも多く、何度も買い替えるわけにはいきません。また、かわいいイメージのあるウミガメですが、成長すると100キロを超えるものもいます。船の上で暴れれば人がケガを負うことだってあります。それが50匹近く網にかかっていたという男性は、途方に暮れたのではないでしょうか。

漁師たちが心配するのは混獲だけではありません。ウミガメが増えたことで、島周辺の海の環境にも変化が起きているかもしれないというのです。ここ数年、島の名産品のモズクを育てるのに必要な「藻場(もば)」と呼ばれる環境が砂地に変わってきているといいます。

ウミガメが増えたせいなのか、まだ詳しいことははっきりしていませんが、藻場が減り始めた時期とウミガメの目撃情報が増えた時期が重なることから、ウミガメが藻を食べてしまったことが原因かもしれないと考える人もいます。沖縄県内では、西表島(いりおもてじま)の周辺の海で、アオウミガメが増え、絶滅の恐れがある海草ウミショウブが食べられて激減していることがすでに分かっています。

◉ウミガメと共存するために

このまま久米島の周辺の海でウミガメが増え続ければ、同じような事件がまた起こるかもしれません。藻場が減ればこれまでのようにモズクが育たなくなり、島の大切な産業が立ちゆかなくなる可能性もあります。譜久里さんは、漁協が今回の事件をその男性だけの問題とは考えず、島の漁業とウミガメとの共存をめざした道を探り始めていることも教えてくれました。

まず事件から数カ月後には漁協の中に、刺し網漁について話し合うグループを新たにつくりました。刺し網漁は久米島で使われている漁法の中でもウミガメの混獲が起きやすいとされているからです。そこでは、ウミガメが増える夏の漁期を１カ月ほど短くすることを決めました。漁の期間を短くするというのは、それだけ自分たちの稼ぎの機会を減らすことにもなるので、とても大きな決断でした。

また、今回の男性のように、１人では手に負えないほどたくさんのウミガメが網に入ってしまった時には、島の関係者同士がすぐに集まって協力し合えるような連絡体制も整えました。今回の事件も、男性が漁協や他の漁師にすぐに助けを求めて、みんなで助け合って網から逃していれば、ここまで多くのウミガメを傷つけずに済んだと考えたからです。

島周辺のウミガメの生息状況を把握することにも取り組んでいます。漁師たちから「増えている」という相談はありましたが、本当に増えているのか、その実態はまだ分かってはいません。専門家の意見なども取り入れながら、島の上空に定期的にドローンを飛ばしてウミガメの数やどんな範囲にどのくらいいるのかや、それぞれの個体のサイズといったデータを空から集めています。

◉「憎い存在ではないんです」

漁にとって時には邪魔になってしまうこともあるウミガメ。でも、譜久里さんは「害獣というような言葉は使いたくない」と強調していました。

島にはウミガメの生態などが学べる町の観光施設「久米島ウミガメ館」があります。取材でも訪ねてみました。また、久米島のことをいろいろと確認するために、町のホームページを開いて、少しページを下へスクロールしてみると、画面の右下には「ページのトップへ戻る」と書かれたウミガメのマークが現れました。ウミガメが島のマスコットやシンボルのような存在になっているのだと感じられました。

漁協はこれからの調査で、ウミガメが増えすぎて漁業にも悪い影響が出そうだと判断できた場合には、ウミガメを積極的に資源として利用することも視野に入れているそうです。これはウミガメを食べるということです。最近ではシカやイノシシなどの野生動物の肉を「ジビエ」として食べることが広く知られるようになってきていますし、もともと久米島ではウミガメを食べていた歴史があります。日本には今でもウミガメ料理を食べられる、東京都・小笠原諸島のような地域もあります。

漁協の組合長・田端裕二さんは「もしウミガメを間引きすることになっても、その命を無駄にはしたくない」と話します。久米島で育った譜久里さんや田端さんたちにとってウミガメは、ともに生きてきた身近な生きものなのです。田端さんは続けます。「だから決して憎い存在ではないんです」

◉多くが絶滅危惧種

久米島では、人とウミガメの間で共存を図る方向性が見えてきました。しかし、歴史をたどると、ウミガメたちは人の影響で厳しい状況にも置かれてきました。

ウミガメはその名前の通り海の中でくらしています。ですが、メスは卵を産む時には陸に上がってきます。砂浜に穴を掘り、一度に１００個近い卵を産み落とします。産卵から2カ月ほどすると、子ガメたちは一斉に孵化し、海をめざします。

人との関わりでいえば、昔から世界のあちこちで肉としても利用されてきました。スープの材料としても使われていました。また、「鼈甲」という言葉を聞いたことがあるかもしれませんが、種によっては美しい甲羅を工芸品の材料として使う文化もありました。

ですが、卵を産む砂浜が埋め立てられてしまったり、利用するために捕られすぎたりして、ウミガメの仲間は世界中で大きく数を減らしました。食べるために捕ることはやめたり、砂浜が守られるようになったりした今も、混獲などで多くのウミガメが命を落としています。こうしたことから、ウミガメの仲間たちの多くが「絶滅危惧種」になっています。

絶滅危惧種とは、数が少なかったり、すんでいる範囲が狭かったりして、絶滅してしまう恐れの高い生きもののことです。世界中の生きものたちを調べて、どのくらい危ない状況にあるのか評価しているのは国際自然保護連合（ＩＵＣＮ）という組織です。日本でも国や、都道府県などが評価をしています。調べた上で「絶滅危惧ＩＡ類」とか「準絶滅危惧」といった評価結果を、どんなことが原因で数を減らしているのかといった情報とともに、公表します。これが「レッドリスト」です。耳にしたことがある人も少なくないと思います。

ウミガメの仲間は、アオウミガメの他にも、アカウミガメ、オサガメ、タイマイ、ヒメウミガメ、ケンプヒメウミガメ、ヒラタウミガメ、クロウミガメがいます。全部で８種類のウミガメの仲間のうち、６種は、世界的にはＩＵＣＮのレッドリストで絶滅危惧種とされています（２０２３年末時点、地域によってはあまり絶滅の心配がないところもあります）。まだ十分なデータが集まっていない種類もいます。少なくとも安心できる状態とはいえません。

◉メスばっかり？　新しい脅威も

激減していた時代に比べると、ウミガメの数が回復してきた地域もあるとされています。ですが、ウミガメにとっては新たな難題が降りかかってきています。ウミガメが命をつなぐ場としてとても大切な砂浜は、まだ開発などで減り続けています。その上、気候変動（地球温暖化）が進むことで、海面が上昇して、２１００年までに世界の砂浜のうち、およそ半分が消えてしまう可能性があるとまでいわれています。

また、気候変動はウミガメのオスとメスの割合にも影響します。ウミガメは卵の時の周りの温度で性別が決まります。ある一定の温度より高いとメスになります。いま、一部の地域では、すでに孵化後の子ガメにメスが増えていることが分かってきています。このままさらに温暖化が進めばウミガメのオスがものすごく少なくなってしまうかもしれません。オスとメスのバランスが崩れてしまうことで、うまく子孫を残せなくなるかもしれないと心配されています。一見数は増えていても、よく調べてみる必要がありそうです。

また、最近は海洋ごみの影響も深刻です。捨てられた網や釣り針などの漁具が海をただよっているうちにウミガメなどの生きものに絡まるなどして、死に至らせる「ゴーストフィッシング（幽霊漁業）」という現象も起きています。世界では毎年、1000万トンを超えるプラスチックごみが海に流入し続けています。あと30年もしないうちに、海のプラスチックごみの量が世界中の全部の魚を足した重量を超えるとまでいわれています。国内の海岸に漂着する死んだウミガメの胃からも、誤って食べたプラスチックのかけらや発泡スチロールなどが見つかっています。

◉放流会で増やせるか

こうした危機からウミガメを救おうと、人が砂浜から卵を掘り起こして保護し、かえした子ガメを海へ放す「放流会」が行われている地域もあります。天敵や災害を避けるために砂浜の卵を移動させたり、人工孵化させたりしてから、子ガメを海に放してあげるというものです。

一見、ウミガメを守るのに役立ちそうな活動にも思えますが、一部には本当にウミガメの保護につながっているのか疑問視されているものもあるようです。

子ガメは天敵や暑さから逃れるために夜間に卵からかえります。また、敵の多い沿岸をできるだけ早く離れるために、沖に向かって懸命に泳ぐ必要があり、卵からかえって数十時間はとても活発な状態になります。一方、放流会の中には、参加者を集めて行うために日中になるのを待って開かれるものがあります。人間の都合で子ガメが活発に活動できる貴重な時間を奪っている恐れがあるのです。放流会によって海へ放された子ガメは自然に海にたどり着いた子ガメに比べて、生き延びられる確率が低くなる可能性が指摘されています。

放流会の影響はそれだけではありません。海外では、人が手を加えると、自然のままにしたよりも、孵化率が下がるとの報告もあります。また、気候変動の影響で説明した通り、ウミガメは卵の時期に過ごした周囲の温度によって性別が決まります。安易に卵を移動させることによって温度環境が変わり、オスとメスのバランスをゆがませる恐れもあるのです。

◉ウミガメ「だけ」守ったら起きたこと

「生きものを守りたい、大事にしたい」。この気持ちはとても大切です。けれど、ある特定の生きもの「だけ」を守ることが、別の問題を引き起こしてしまうこともあります。そんなことを考えさせられる、ウミガメに関する研究成果が、2023年に発表されました。

研究の舞台は、台湾の南東沖に位置する離島・蘭嶼(らんしょ)(オーキッド島)です。オーキッド島も久米島と同じように、アオウミガメの産卵地になっています。ところが気候変動やそれに伴う海面上昇による砂浜の浸食で、産卵に適した場所が減り、2001年以降は島で1カ所だけになってしまいました。

ウミガメの危機を前に島の人々は1997年から保護活動に乗り出します。ウミガメの卵や子ガメが天敵のヘビに食べられないように、数年かけてビーチに侵入防止の柵を設置しました。柵は効果的だったようで、ヘビに食べられるウミガメは減りました。ところが、今度はヘビが減り始めました。

ヘビの立場になって考えてみれば簡単です。周りを海に囲まれた離島という環境は、飛んだり泳いだりして海を渡れないヘビのような陸の生きものにとって、エサが限られています。海からやってくるウミガメが産んでいく卵やかえったばかりの子ガメは、ヘビたちにとって島の外からもたらされる貴重なエサでした。気候変動の影響で、ただでさえ島にやってくるウミガメは減っています。そこへさらに、ビーチに柵が設置されたことで、ヘビたちが生きるために必要なエサを捕ることができなくなってしまったのです。

◉ヘビもトカゲも減ってしまった……

研究によると、ウミガメを食べていた島の2種類のヘビは、ウミガメの保護活動が始まると毎年約1割ずつ減っていったとみられています。ただ、影響はそれだけではありませんでした。残されたヘビが生きていくには、何か食べないといけません。そこでウミガメの代わりに重要なエサとなったのが島のトカゲでした。島内のトカゲのうち、最大で毎年25％ずつ数が減った種もいました。これらのヘビやトカゲは今後数十年で絶滅する可能性があるといいます。逆にヘビのエサにならなかったヤモリは毎年1割ほどずつ増えたそうです。ウミガメを守ろうという行動が、思わぬ結果を招いていたのです。

この研究では、ウミガメ、ヘビ、そしてトカゲに注目していますが、トカゲの数の変動が、トカゲと関わる別の生きものにも、また別の影響を与えている可能性も十分考えられます。

ウミガメの放流も卵や子ガメを移動させることで、同じように他の生きものの生活に影響を与えているかもしれません。ウミガメの数が増えすぎると、今度はウミガメがエサにしている生きものが減ってしまうかもしれません。ひどい場合には、海草や海藻が食べ尽くされてしまい、海が砂漠のような状態になる可能性もあります。

そしてそれは、海草や海藻の広がる海にすむ生きもののすみかを奪うことにもつながります。特定の種に目を向けた保護活動は決して珍しいことではありません。ですが、ある生きものだけを守ろうとすることが、他の生きものに不利益を与えていないのかにも、きちんと目を向けていく必要がありそうです。それだけ生きものの保護というのは難しいことなのです。

◉ウミガメ、島の人、島の外の人

今回のウミガメの事件を通して考えたいことがもう１つあります。ウミガメの事件が全国ニュースでも取り上げられ、ウミガメを傷つけたのが島の漁師だと分かった直後のことです。漁協や役場に島外から抗議のような電話が相次ぎました。

「もう久米島には行きません」

「久米島のものはもう買いません」

漁師や漁協だけでなく、島そのものを否定するような言葉も多くありました。

久米島のシンボルになっているだけではなく、ウミガメは海に潜るダイバーや観光客からもとても人気のある生きものです。ファンの多い生きものだったゆえに、わき上がる気持ちを我慢できなくなった人もいたのでしょう。殺処分の可能性が報じられた後に大騒ぎになったシカのケープと似たようなことが起きてしまいました。

一方で、久米島に住んだ経験のある日本ウミガメ協議会副会長の平手康市（ひらてこういち）さんは、こうした声に対して違和感を抱いたといいます。平手さんは「希少生物やその周辺の環境を生活の一部とする人々が活動すれば、何らかの支障は出るものです。そこには都市部とは異なる価値観があることを理解してもらいたいです」と話します。生きものを守るというと聞こえはいいですが、保護するためのルールを作るということは、その地域に住む人や、その生きものを利用してきた人々にとっては制約が増えるということも意味します。

そして、都市部よりも地方に住む人の方が、そうした制約とともに暮らしているのです。久米島では、ウミガメは様々なルールで大事に守られてきました。ですが、保護対象の生きものの数が増えていくということは、その生きものと暮らしを重ねてきて、これからも暮らしていく人々にとっては、「保護がうまくいってよかった」だけではすまない問題だということは理解しておかなければいけません。

今、各地で様々な生きものが保護の対象になっています。ですが、保護していったその先でどう共存していくのか、その議論はまだまだ不十分なように感じます。

◉漁師と鉢合わせた

久米島の取材では1つだけ心残りもありました。どうしても話を聞きたかったのですが、それがかなわなかった人がいました。ウミガメを刺した漁師の男性です。事前に漁協を通じて取材をさせてほしいということを伝えていましたが「難しい」という返事でした。ですが実は、島に滞在中のある日、漁から帰ってきた男性に鉢合わせたことがありました。とっさに「当時のことを教えてくれませんか」と声をかけたのですが、男性はただうなずいてそのまま家に入ってしまいました。

「長らく漁師をしている」「たくさんのウミガメを刺した」といった情報から、屈強そうな人という先入観を持っていました。けれど、出会った男性は想像していたよりも小柄で身長157センチの記者とそれほど変わらないようにも見えました。ご年配ということもあり、足取りがあまりおぼつかないようにも感じました。手紙も渡しましたが、それ以降、男性とやりとりすることはできませんでした。

事件直後にはインターネット上に誹謗中傷を含めて、様々な意見や言葉が飛び交っていました。暴言をはく人、強い言葉で漁師を非難する人、あるいはウミガメを心配する人、騒動にただただびっくりしたという人、漁師側の事情をくんだ発言をする人もいました。どのような感情や考えを持っていたにせよ、こうした言葉を投げた人々はみな強い関心をこの事件に抱いていたのだと思います。

ですが、数週間もすればそうした投稿は目に付かなくなっていきました。関心を抱いた人のうち、一体どれくらいの人が、その後の久米島の対応やウミガメの現状をきちんと理解しようとしたのかは気になるところです。

関係者によると事件後の騒動を受けて、男性はひどく落ち込んで数日は家から出られなかったそうです。男性は携帯やパソコンを持っていませんでした。ある漁師は「男性がネットに通じていなくてよかった」とも言います。インターネット上の強い言葉にまで触れずにすんだからです。今回の取材で男性の話を直接聞くことはできませんでした。あの日、男性とウミガメに何が起きたのか、何が真実だったのか、男性しか知らないことはあると思います。それでも久米島の景色を見て、そして人々の話を聞くことで、第一印象や抱いていたイメージとは異なるものが見えてくることがたくさんありました。

◉あちこちで出没するクマたち

近年は、クマの出没が大きな話題になっています。人が追いかけてサッカーのゴールネットで捕まえることができるシカや、力を合わせれば網から外せるウミガメならまだしも、牙や爪もあり、時には人を襲ってくることもあるクマとの関係はどう考えたらいいのでしょうか。

日本にはヒグマとツキノワグマの2種がいます。ヒグマは北海道に、ツキノワグマは本州と四国にいます。ニホンジカがだいたい体重40〜100キロなのに対して、日本のヒグマはメスでも体重が100〜200キロ。オスはもっと大きくなり、最大で400キロにも達するとされています。それよりは小さいツキノワグマでも、体重100キロを超える個体もいます。少なくとも、近づいてサッカーのゴールネットをかけてみようと思えるような存在ではありません。

環境省が年度ごとに集めているデータによると、2023年度の被害は、ツキノワグマによる人身被害(ケガなど)は210人。そのうち4人が亡くなりました。同じ時点でヒグマによる人身被害は9人、死者は2人でした。環境省がデータを集めている中では、ツキノワグマは過去最多の被害、ヒグマも過去2番目に多い被害者が出ていました。

◉学会から出た緊急声明

さながら日本中がクマ騒動に包まれる中で、「野生生物と社会」学会という団体が202

3年11月に緊急声明を発表しました。研究者や専門家の人たちが集まって、野生生物と人との間で起きる問題を解決するために、様々な分野の専門的知識や、現場で役に立ちそうな情報を社会に提供することが、この学会の役割の1つです。

声明には、クマがたくさん人里近くに出てくることについて、「直接の要因は、ブナ科堅果類（どんぐり）の大凶作」としつつも、これまでにも数年おきに大量出没が起きていたこと、そして、だんだん大規模になってきたことなどが書いてありました。ここ10年くらいの間に、クマの数が増えたり、分布している地域が広がったりしたことで、街の近くにすむクマも多くなり、なかには集落で放置されているカキなどの果樹に味をしめてしまったことなども説明してありました。また、2000年以降に、クマの捕獲が抑えられてきたことも出没が増えている要因として大きいということでした。

被害を防ぐ方法についても挙げられていました。まず、市街地の周辺でクマの捕獲を進めることや、不要な果樹を伐採して、クマを引きつけてしまうエサを取り除くことが必要だということでした。その上で、人とクマとの間でトラブルを減らしつつも、地域ごとにクマがちゃんと生きのびていけるような、適切な数や分布範囲に向けての管理や、そうした管理や被害の予測に必要なデータをたくさん集めるといった、少し長い目で見た対策を早く検討するようにアドバイスしていました。

◉クマは増えていた

ケープの話で、ニホンジカがこの30年ほどで8倍にも増えたことを紹介しましたが、ヒグマはどうでしょうか？　北海道が公表しているデータによると、１９９０年度には３８００〜７０００頭とみられていた個体数は、２０１４年度には６７００〜１万５９００頭、２０２０年度には６６００〜１万９３００頭と推測されています。この間はおおむねずーっと増え続けていて、結果的には30年前の2倍くらいになっているということが分かりました。この傾向は最近、道内のほぼ全域で同じようです。

ヒグマ増加の１つの要因が、「春グマ駆除」をやめたことだとされています。人や農作物などへの被害を防ぐため、雪が残っていて駆除がしやすい時期に行われていたのが春グマ駆除でした。それによって、被害は減っていきましたが、それはつまりヒグマの数が減っていったことも意味していました。

減りすぎるのもよくないということで、１９８９年度で春グマ駆除は廃止になりました。ヒグマの保護を重視したことで個体数が増え、さらに銃を使っての駆除が減ったせいか、人を怖がらなくなったヒグマもよく観察されるようになってきたことなどが、北海道の資料で紹介されています。北海道の各地で目撃されたヒグマたちもそうした状況を示す一場面として考えられるのではないかと思います。

◉怖いけど、共存するために

クマが増えたり、クマの分布が広がったりして、人の側に死者が出たり、大ケガを負ったりした人がいる以上、いざという時のための備えは必要でしょう。ただ、クマに襲われた時にどうしたらいいのかといった身の守り方が紹介されることはあっても、これから先、クマとどう付き合っていったらいいのかという情報を目にしたり耳にしたりする機会はやや少ないように感じます。

クマからの身の守り方は、あくまで緊急時のその場しのぎと言えます。クマに襲われにくい地域をつくっていくにはどうしたらいいのかということを考えないと、毎年「クマに襲われたらどうしたらいいのか」というニュースを聞くことになります。それでは、根本的な解決にはつながりません。「野生生物と社会」学会の問題意識はそこにありました。

　また、クマを全部駆除してしまえばいいのかといえば、それも違います。人にとってクマは時に恐ろしい存在ですが、森の中で木の実を食べた後にするフンを通して種子をまくといった、自然の中での大切な役割があります。そして、人の生活にとっても必要な存在になっています。

写真 1-2　車道に下りてきたヒグマ（北海道斜里町）

　たとえば、すばらしい自然が広がる北海道の知床半島には、たくさんのヒグマがいることが知られています（**写真 1-2**）。ヒグマをはじめとする野生動物や美しい自然の姿を見ようと、国内外からたくさんの人が訪れます。半島の北半分を占める斜里町には、新型コロナウイルス感染症の流行前まで、毎年100万人を超える観光客が訪問していたそうです。当時の町の人口は1万1000人といったところなので、100倍近い人数です。ヒグマは町にとって

なくてはならない存在だと言えます。私たちの暮らしのためには、クマにも生きていっても
らい、共存することが求められています。

◉「むしろ共存の邪魔をする」こととは？

そしてもう1つ、学会がとても心配していたのが、クマ対策に当たる人たちのことです。
この章のシカやウミガメの話でもあったように、一部では、行政の窓口などにクマの捕獲に
たずさわる人たちに対する大量のクレームや中傷のような抗議が寄せられていました。

学会の声明の中にはこんな一文もありました。

「愛護だけでは、地域社会のみならずクマ類の個体群をも守ることができません」

愛護には、「かわいがって大事にすること」といった意味があります。クマをかわいく思
って大事にすることはもちろん必要ですが、人に害を及ぼす恐れがあるなら、対策も必要で
す。自治体の職員や、捕獲の技術を持つ人たちが、こうした対策に当たってくれています。

声明はクレームや中傷のような抗議に対して、クマ対策の必要性を改めて指摘しています。
まず、クマは「付き合い方を間違えれば人命を奪うこともあり、一定数の捕獲は欠かせな

い」として、人里に出没した個体などは捕獲することや、人の生活する場所へは入り込まないようにする対策が不可欠だということを強調しています。

そして、こうしたクマ対策は人とクマがこれからも共存していくためのものであること、そのために現場の人たちも苦しい気持ちの中で対策に関わっていることも紹介し、「関係者への配慮の無い電話や執拗（しつよう）なクレームは、関係者の努力をくじき、かえってクマとの共存を妨げる結果を招きます」として、現場の人への配慮を呼びかけました。

クマを大事に思いながら、クマとの共存のために対策をすることは、別に相反することをしているわけではありません。それは人もクマも大事にするための努力でもあります。

◉世界を見ればアフリカゾウも

日本の動物たちについて考えたので、世界最大の陸上動物アフリカゾウでも同じような問題が起きていることも紹介しておきます。日本のヒグマは大きなオスだと４００キロにもなると書きましたが、アフリカゾウは６トン、つまり６０００キロほどになります。１頭でヒグマ15頭分という計算で、まさに桁違いのスケールです。

アフリカやアジア(アジアの場合にはアジアゾウという別種のゾウがいます)には、こうしたゾウによる被害を受けている人たちもいるのです。動物園やテレビ、タブレットなどの画面の中で見るゾウは優しそうに見えるかもしれませんが、賢くて強力な動物でもあります。知力と体力を兼ね備えた、ヒグマの10倍以上もある巨大な動物たちが群れでやってきてしまっては、大事に育てた農作物を食べられてもほとんどなすすべがありません。下手に追い払おうとすれば、命の危険があります。実際に亡くなった人もいます。

人里に出てくる野生動物や、人が畑などを広げて動物の生息地に入り込んでいくことで起きるこうした問題のことを「鳥獣害」とか「人と野生動物との衝突」と呼びます。野生生物の保護活動などに取り組んでいる団体「WWF(世界自然保護基金)」などの報告書によると、人と野生動物との衝突の結果、人間が「仕返し」として野生動物を殺してしまうことで絶滅の危機に追いやったり、こっそり殺して得た毛皮などが闇取引につながったりすることが少なくないそうです。

◉象牙を使う? 使わない?

闇取引といえば、アフリカゾウは、牙を狙った密猟で数を減らしてきました。人に被害を与えるだけではなく、反対に人から大きな被害を受けている生きものでもあるということです。そして、その牙「象牙（ぞうげ）」をどうするのかというのは、簡単な問題ではありません。

ゾウの種類によりますが、象牙は日本では彫刻やはんこ、三味線のばちなどに使われてきました。他にも昔は古い家に行くと、床の間に象牙がどーんと飾ってあるようなところもありました。なんとなく高級で大事なもの、持っているとちょっとすごいというイメージがありました。

もちろん、これらの象牙製品すべてが密猟で入手されたり、密輸されたりした象牙というわけではありません。日本にある象牙の多くは適正な手続きを踏んで取引されているものだとされています。ただ、なかには怪しい象牙、違法な象牙も混ざっていることが指摘されてきました。

さて、記者（小坪）は以前、小学校で出前授業をした時に、象牙の問題を取り上げました。当時、象牙取引をめぐっては、大きく2つの考え方がありました。取引をやめるべきだという考えと、取引ができる機会を残すべきだという2つの立場です。それぞれに説得力のある理由もありました。

　象牙の取引をやめた方がいいと考えている立場の、主な理由はこんな感じです。取引をするから象牙を狙った密猟が起きる。市場に密猟された象牙が混ざってしまう。そうした密猟象牙は犯罪組織や戦争の資金源にもなっているといわれていて、地元の人たちを危険にさらしている。取引をやめてしまえば、ゾウを密猟しても牙は売れないから、お金にならなくなり、ゾウは殺されなくなる。地元の人たちも象牙をめぐる犯罪などに巻き込まれる心配が減るだろう――というものです。

　一方で取引が続けられるようにした方がいいという立場の、主な理由はこんな感じです。自然に死んだゾウや、人に悪さをしてどうしても駆除する必要があるゾウはいる。そうして密猟とは関係なく得られた象牙はきちんと地域のために活用できた方がいい。そういう時に取引ができれば、利益から野生生物を保護するお金を出せたり、地元の人の収入にもなったりして、結果的には生きものも人も守れるのではないか――そんな考えでした。

　出前授業では、ゾウの現状や両方の意見を紹介した後、「あなたはどちらの立場に近いですか。他の考えはありますか」とアンケートを取って、理由も聞いてみました。象牙の取引はやめた方がいいという子も、続けた方がいいという子もいました。取引への賛成と反対だけではなく、いろんな意見やアイデアが出てきました。

◉耳を傾けることも大事

たとえばこんな具合です。「象牙の取引はせずに、困っている地元の人のために募金がしたい」「象牙の価値を無くせばいい。なんで象牙が高いのか分からない」「困っている人のためにうまく象牙を使うことで、密猟もなくせるんじゃないか」「ゾウをたくさん育ててその牙を使えばいい」「象牙を使うとか使わないとか考えなくても地元の人がお金を稼げる方法を考えたい」

なかには、一度選んだ意見を変えて、反対の立場にした子もいました。何度も意見を書き直している子もいました。何枚ものアンケート用紙に消しゴムを使った跡が残っていました。2人の先生にも参加してもらいましたが、先生たちの意見も分かれました。

先ほど紹介したWWFの報告書には、人と野生動物がうまく共存する方法を見つけることで、数を減らしていた大型動物を増やしつつ、被害を減らしていくこともできると書いてあります。アンケートへの意見は1つにはまとまりませんでしたが、一生懸命考えた意見なら、お互いに耳を傾けるべきところがきっとあるでしょう。こうやってみんなの知恵を絞って話し合っていくことは、解決策につながるはずです。とても印象的だったので、アンケートはそのままずっと大事に保存しています。

この章では、「かわいそう」な生きものを前にした時にわき上がる気持ちと、その気持ちが引き起こした「事件」、そして、その後の話をいくつか紹介しました。

「かわいそう」と思っても現場にはいろいろな事情があります。単純には割り切れない背景があることも少なくありません。私たちは、意見を出すこともできますが、意見を聞くこともできます。特に自分があまり知らない地域のことや、よく分かっていない生きもののことならなおさら、しっかり調べて、人の意見をきちんと聞いた方がよさそうです。全然事情を知らないのに、地元の人の悪口を言ったり、そのことで誰かを傷つけたりしても、解決につながることはなさそうです。

第2章
専門家だって悩んでる
――「かわいそう」の線引き

川で生きもの調査と外来種の駆除活動に取り組む子どもたち

どんな生きものだって、命はひとつ。同じように大切……でしょうか？　私たちは知らず知らずのうちに、もしかしたらわざと、生きものによって、もしくは時と場合によって、違った気持ちを持ったり、区別をしてしまったりするかもしれません。それっていいこと？悪いこと？　変なこと？　第2章では、いろんな人の悩みを紹介します。みなさんなりの答えを考えてみてください。

◉「ガチ！生物多様性塾」

2021年の7月、記者（小坪）は、静岡県浜松市を訪れました。地域の親子や大人たちを集めたイベント、「ガチ！生物多様性塾」に参加するためです。2日間の日程のうち、1日目は生きものとのつきあい方について、記者が子どもたちに話をして質問を受けたり、夜の部では大人とも一緒に話し合ったりしました。2日目は、近くの山に出かけて、野外活動をしました。

この塾の参加者はこの後も11月までかけて、専門家の人と一緒に議論をしたり、遊びながら生きもの観察をしたりして、最後にそれぞれが体験を通じて考えたこと、感じたことを発表します。子どもたちがそれぞれの考えを自由に発言し、自分がやりたいことをやれる範囲で取り組んでいるのが印象的でした。

たとえば、小さな池での生きもの探しでは、どんどん泥の中に入って網を振るう子もいれば、少し慎重に見学している子もいました。また、実際に体を動かした上で、身近な自然を守っていく活動についての感想を聞くと、楽しかったという声の一方で、「楽しいけどきつい」「自分はやりたいとは思わなかった」などの意見も聞かれました。その上で、「ごほうびが出るならやる」という子がいたり、その意見に対して、「ずるをする人が出そうだ」という反論が出されたりしました。全然まとまりません。

でも、塾を企画した夏目恵介さんは、真剣に話に耳を傾けたり、時ににこにこしながら突っ込んだりしつつ、どんな意見も頭ごなしに否定しないようにしていました。周りの大人も時に戸惑いながらも、なるべく子どもたちにいろんな考えを出させて、それに対してどう思うのかをさらに話し合ってもらうように努めていることがうかがえました。

◉疑問と難題は次々わいてくる

夏目さんは他にも、塾の数年前から近所で昆虫を捕まえて食べてみる「とって食べる」というイベントや、地域の水辺でのアカミミガメの駆除活動などを行ってきました。アカミミガメも駆除した後はカレーにして食べることもありました。

アカミミガメはもともとアメリカにいた生きものですが、今では北海道から沖縄県まで、全ての都道府県で確認されています（写真2-1）。日本では、晴れた日にひなたぼっこをしているカメを見かけたらアカミミガメということが一番多いほどに増えていて、環境省の2019年の推計では野外に約930万匹がすんでいるとされています。

もとは縁日（えんにち）などで「ミドリガメ」として子ガメが売られており、持って帰った人が飼いきれずに近くの川や池に放してしまったものが、今度は野外で広がってしまったと考えられています。その地域に人がよそから持ち込んだ生きものを指す「外来種」という言葉を知っている人にとっては、アカミミガメは外来種の中でも有名な生きものの1つかもしれません。あごが丈夫で、固いものでもがしがしとよく食べます。ひなたぼっこの場所やエサをめぐってもともと日本にいたカメの邪魔をしたり、数が少なくなっている在来の水草や、農産物のレンコンを食い荒らしてしまったりといった被害が問題になっています。

さて、そんなアカミミガメの駆除でも夏目さんは、「生物多様性塾」と同じようなことを大事にしています。感じたことを言葉にすること、それを人と話し合って、いろんな意見があると知ること、その中で何をやっていくのかみんなで考えたり、協力しながら活動したりしていくことです。ある結論を示すよりも、そこに至るまでの「対話」の大切さを学んでもらうことを大事にしているといってもいいかもしれません。

写真 2-1 日本中に広がっているアカミミガメ

たとえば、アカミミガメの駆除作業だったら、捕まえたカメを前に子どもたちは悩みます。「飼育施設を作ってそこで飼ってあげられないだろうか」。でも、何十年も生きるカメをたくさん飼っておく施設をいったいどうやって作ったらいいいんだろう？　そもそも誰が飼い続けるべきなんだろう？　飼育施設が難しそうなら、「どうしても駆除しなければならないなら、食べてみよう」。そんな具合です。でも、アカミミガメが食べきれないいくらいたっぷり捕れたら？　カメは食べられるけど食べられない生きものは駆除した後どうしたらいいんだろう？　疑問は次々わいてきます。

それに、実際に保護活動や駆除活動をやってみると「生きものを守る活動は大事だと聞いたけど、体力的にしんどくて自分には無理だ」などと思うかもしれません。あるいはそれによって、「いやだなあ」だけではなく、「実際に活動をしている人はすごいなあ」と思えるようになるかもしれません。また、対話を通じて「自分は生きものを守りたいけど、今のままでは誰も手伝ってくれそうにない」と思ったら、どうやったらみんなに参加してもらえるのか、必死で考えるでしょう。

まずは自分が感じたことを誰かと話し合ってみること、言い負かそうとするのではなく、相手の言っていることをよく聞くこと、その中でできることややるべきことを考える。夏目さんが大切にしているのは、そんな風に、みんなが一緒に悩みながら考えて解決策を探っていく過程なのです。

◉昆虫を食べる＝命の大切さを知る？

一方で、活動を続ける中で、違和感を覚えることも時々あると言います。イベントには新聞社やテレビ局がやってきて、ニュースにすることがあります。最初のうちは夏目さんも、注目してもらえるのはありがたいと思って、積極的に取材を受けてきました。

ただ、昆虫を捕まえて食べると、「命の大切さを伝えるイベント」と報じられ、アカミミガメをカレーにすると「命を無駄にしないため」と書かれることが少なくなかったそうです。そうした報道に触れた知り合いから「いい活動ですね」と言われることもあるそうです。夏目さんはそんな風に報じられたり、声をかけられたりするたびに、言いようのない居心地の悪さも感じてきたそうです。

夏目さん自身は、最初に昆虫やカメを食べた時に「おいしい！」とか「もっと食べたい！」とか、そういう感想を持ったとしても、それはそれで尊重されるべきだと考えています。「食べてみて「命の大切さ」を感じる子がいてもそれは自由だけれども、それは僕が伝えたり押しつけたりするものではない」と言います。人は同じことを体験しても、感じることは様々です。その人の性格、それまでに経験したことや勉強してきたこと……。人の数だけ第一印象があります。「まずは感じたことを大切にしてほしいんです」

もちろん、「命は大切じゃないんですか？」とか「命を無駄にしないのはいいことですよね？」と聞かれたら、それも否定はしません。でも、イベントにおいて本当に一番大事にしたいものとはちょっとずれています。だから、夏目さんは「間違っているとまでは言いませんし、恨むつもりもないのですが、何となく一面だけを報じられているように思うのです」と言います。

◉白黒つけられないところに大事なものがある

とはいえ、夏目さん自身も、「最初は自分も深く考えていなかった」と言います。はじめのうちは、アカミミガメを捕獲した後には、「食べて供養（くよう）してあげよう」と思っていたそうです。「命を大切に」とか「無駄にしない」という考えに近いですね。だから、新聞などがそう報じることに、モヤモヤした感じは受けつつも、わざわざ反論することはしません。

昆虫を食べるイベントを始めたきっかけも、とある本を読んで、昆虫は国内外の様々な地域で昔から食べられていることや、なかにはとてもおいしい虫がいるらしいことなどを知って、「そんなに豊かな文化があるなら、自分も体験してみたい」と思ったことだったそうです。それまでは生きものに対しても、それほど興味があったわけではなかったそうです。

でも活動を続けていく中で、徐々に考えが広がっていったのだそうです。昆虫を食べていくことから少しずつ生きものや自然への関心が深まっていきました。また、アカミミガメを駆除することは一見命を奪うように見えても、アカミミガメによって奪われている生きものたちの命を救ったり、アカミミガメの被害に困っている人を助けたりするという面があることも分かってきました。一方で昆虫を食べたり、カメを駆除したりすることは、命をもらったり奪ったりすることだという思いも消えるわけではありません。

でも、そういうことはたくさんあります。それこそ、活動をし、対話をしていく中では、どちらかの意見だけが正しくて、どちらかは完全に間違っているということの方が珍しいのです。あるいはどっちの言い分にも説得力があるけど、同時に両方とも成り立たないことだって少なくありません。

夏目さんは、「先に矛盾のないことや分かりやすいこと、たとえば「命は大切」ということだけを大人がすり込んでしまうのは、むしろ考えるのを止めてしまうことにつながりかねないと思います」。そんな風に心配しています。

今、強く感じているのは、「白黒つけられないこと、矛盾の中にこそ大事なものがある」ということ。この言葉はとても印象に残りました。夏目さんの塾に初めて来た子どもたちはこれから先もきっと、まずは好きに意見を出し合いながら、考えを広げたり、深めたりしていくのだろうと思います。

◉駆除活動と環境教育

最初に分かりやすい意見をすり込んでしまうようなことを心配している人は、他にもいます。別の時にも印象的なことがありました。記者(矢田)が2023年に目にした、X(旧ツイッター)の投稿がきっかけでした。

2023年春、「のん」さんこと、川井希美さんがあげた投稿が議論を呼びました。投稿はこんな内容のものでした。「本心としては外来生物の防除作業に子どもを関わらせたくない」。さらにこうも続きます。「外来生物の防除をするよりも、子どもにはたくさんの生きものと触れ合う自然体験をしてほしい」。4月に投稿されたこのポストは9カ月経った2023年末現在、1000件ほど拡散され、4000件近い「いいね」がついています。

外来種の防除に子どもを関わらせたくない、とはどういうことなのでしょうか。

植物や昆虫が好きだという川井さんは東京の多摩川を中心に、年間100回ほど生きもの観察会を開いています。講演会やテレビ番組などにも登壇・出演し、大人から子どもまで幅広く身近な生きものの面白さを発信する取り組みをしています。そんな川井さんは、外来種の駆除活動にも関わっています。ある時、「駆除活動を通じて子どもへの環境教育ができないでしょうか」というような趣旨の相談を受けたことが、今回の投稿のきっかけになったといいます。

環境教育とは、気候変動やごみ問題のような環境問題への関心を高めて、環境保全などの活動に取り組む大切さを理解してもらったり、環境に悪影響を与えないような暮らしについて考えてもらったりする教育のことです。生物多様性(172ページコラム参照)の大切さや生きものとの関わりを理解することも環境教育の一環といえます。今地球上には人間の活動によって様々な環境問題が生じていて、環境教育の重要性はどんどん増しています。実際に、環境教育を目的に外来種の駆除活動を取り入れている団体や地域もあります。ただ、川井さんはそこに不安を感じているとも言います。

写真 2-2 各地の水辺に広がっているアメリカザリガニ

◉外来種だけど、身近な生きもの

不安の背景には、様々な現場で自然観察の指導をしてきた川井さんの経験がありました。それは川井さんが講師を務めるサイエンス塾に、アメリカザリガニを持っていった時のことでした。

アメリカザリガニとはその名の通り、アメリカ原産のザリガニで、日本にはもともといなかった外来種です(**写真2-2**)。1927年に養殖用のウシガエルのエサにするために、国内に持ち込まれました。ちなみにウシガエルも外来種です。その後、逃げ出した個体が各地の川や池、沼に広がってしまいました。様々な環境で生きていくことができて、雑食性で何でも食べてしまうので、もともとの生態系(172ページコラム参照）に大きな影響を与えることが問題になっています。

実際にアメリカザリガニが入ってしまった水辺では、水草が切断されてしまい、水生昆虫や淡水魚が食べられてしまうなどの悪影響が出ます。汚い水でもある程度は平気で、アメリカザリガニが急に増えた池では、水が濁ってしまい、もとの池とは似ても似つかない姿になってしまうこともあります。研究者や水辺の環境活動に関わる人たちから「ザリ色」とも呼ばれる独特の色の池です。

一方で、アメリカザリガニは、北海道から沖縄まで全国47都道府県に定着していて、ザリガニ釣りなどで長く親しまれてきた、ある意味身近な生きものでもあります。ペットとして飼っている人もおり、小学校の教科書で、ザリガニの飼育が紹介されていたこともあります。

◉「駆逐してやる」、外来種を踏みつぶす子ども

もしかしたらみなさんの中にも、池などでアメリカザリガニを捕まえた経験があるという人がいるかもしれません。川井さんがサイエンス塾でアメリカザリガニを見せようとしたのも、外来種について知ってほしいというよりは、子どもたちに人間以外の生きものという存

在にまず興味を持ってもらいたかったからです。だから、身近な生きものの代表として、外来種ではあるけれど、これまで長く親しまれてきたアメリカザリガニを持っていったのです。

しかし、川井さんが見たのは予想外な子どもの反応でした。「こいつら殺してもいいやつだ」。アメリカザリガニを見た、ある子どもがこう言い放ったのが聞こえました。

他にもこんな現場に居合わせたこともありました。川井さんとは別の人が主催する観察会に参加した時のことです。「駆逐(くちく)してやる」と叫びながら、アメリカザリガニを踏みつぶす子どもの参加者がいたのです。こうした言動は、いずれも小学校1、2年生くらいの小さい子どもに見られたそうです。

外来種という言葉や概念は、少しずつ社会にも浸透してきています。外来種を見つけて捕獲するテレビ番組などもあり、専門家や生きものに関わっている人でなくても「外来種＝駆除するもの」というように考える人も増えてきました。生きものたちの個性やそのつながりである生物多様性を守っていくために、悪影響が大きな外来種の駆除は必要です。でも、外来種を駆除することは「よいこと」なのでしょうか。あるいは、外来種とは「殺してもよい生きもの」ということなのでしょうか。

生きものの魅力を伝える活動をしている川井さんは、外来種だからという理由で生きものの命を軽視するような、子どものこうした過激な言動にとてもショックを受けたといいます。サイエンス塾で川井さんは、とっさに、「殺していい命なんてないんだよ」と説明しました。ですが、言葉を発した子どもに川井さんの考えが伝わっているのかも正直分からず、不安になったといいます。

◉「悪者」とか「やっつける」は言わない

だからこそ外来種駆除の現状をどう伝えたらいいのか川井さんは悩んできました。川井さんは「本来の目的である環境保全ではなく、駆除の方が目的になってしまっていないでしょうか」と心配します。特に小さな子どもの場合は、駆除という行為が先行してしまい、「外来種の命は奪ってもいい」という変な肯定感を植え付けてしまうのではないかといいます。

川井さんは、自身が主催する観察会で子どもを相手にする場合には、基本的に外来種ともとからいる在来種を特に区別せずに伝えるようにしているといいます。まずは様々な生きものがそこにくらしていることを知ってもらい、生きものとふれあうという行為そのものを楽しんでもらうことをなにより大事にしたいからです。

外来種について伝えるかどうかは、子どもの年齢やその子どもの生きものへの理解レベルなどを見てから決めているそうです。また、外来種のことを話すことになっても「悪者」とか「やっつける」といったような言葉は絶対に使わないようにしているといいます。川井さんは「生きものの命には善悪はないはずなのに、小さな子どもにとっては、外来種かそうでないかの短絡的な基準になってしまうことがあるように思う」と話します。命の扱い方の考えに関わるからこそ、その伝え方には細心の注意を払っているのです。

もちろん、環境教育としての外来種駆除を否定しているわけではありません。外来種問題を理解していくことは大切なことです。ただ、人が持ち込んだ外来種、地域にもとからいる在来種というような線引きにこだわって生きものと接することが、気付かないうちに外来種の命の軽視につながっていることがあるかもしれません。

川井さんは、「駆除の現場で子どもが単純な人手になっているような場合もあります。駆除をするなら外来種について背景を説明するような学習や、どうして防除するのか理由の説明が必要で、簡単に駆除すればいいという問題ではないと思います」と指摘しています。

◉「命について考える機会にもなる」

外来種や生きものの命との接し方について、教育などの専門家にもさらに意見を聞いてみました。まず、話をうかがったのは、教育学の先生で、子どものカウンセリングに長年取り組む、筑波大学の名誉教授の徳田克己さんです。

徳田さんはまず「駆除という行為と「命は大切に」という一見すると正反対のメッセージの違いを、幼児や小学校低学年の子どもはおそらく理解できないだろう」と話しました。その上で、そんな子どもたちにとって「「外来種だから駆除する」「外来種だから殺す」というメッセージはとても具体的なので理解や行動化がしやすい」と指摘します。特に小さな子どもはこうしたメッセージをすんなりと受け入れてしまう傾向があるそうです。

小さい頃、力加減が分からなくてダンゴムシやアリのような小さな虫をつぶしてしまった、上手なさわり方を知らずにトンボやバッタの羽や脚がとれてしまった、そんな風に意図しないで生きものを傷つけたり、命を奪ってしまったりしたという経験がある人はいるのではないでしょうか。記者も大事にしたいとずっと握りしめていたせいで、トカゲを死なせてしまったことがありました。そういう意味で、幼い子どもの生きものとの向き合い方には、ある種の残酷さはあるようにも見えます。

けれど、外来種だから殺して「いい」という考えは、それとは本質的に異なると徳田さんは言います。「外来種だから殺す」という思考は、そこに正義感や制裁心が伴っているからです。徳田さんは、こうした外来種への認識が、「命の選別」につながるようなことがあってはいけないと言います。

命の選別とは、価値のある命と、無価値な命があるかのような考え方のことです。生きものの魅力や、そのつながり、それらに親しみ守っていく大切さや、命を奪ったり失わせてしまったりする心の痛みを経験せずに、ただ「外来種だから殺してもいい」という考えを小さな頃からすり込まれてしまうことには、やはり不安や怖さを感じます。

一方で、徳田さんは、こうした駆除活動は、命の大切さを認識する機会にできるとも言います。あくまで一例ですが、「供養塔(くようとう)を作って手を合わせるなど、命について考える時間を設けてみることなどができるかもしれない」と教えてくれました。

◉「段階を踏んでいくこと」

公益社団法人日本環境教育フォーラム理事長の阿部治さんにも話を聞きました。立教大学の名誉教授でもあり、長年にわたって環境教育について研究してきた専門家です。阿部さんは環境教育のステップについて話してくれました。

そのステップとは、主に幼児期（小学生低学年頃まで）、学齢期（中学生頃まで）、成人期（高校生以上）の3つに分けられるそうです。

最初のステップとなる小学生低学年頃までは、まず自然の持つ神秘や不思議さに感動する感性を育むことがとても大切だと言います。こうした感性のことを「センス・オブ・ワンダー」と呼ぶこともあります。レイチェル・カーソンさんという、アメリカの有名な生物学者が書いた著作のタイトルとしても知られていて、自然や生きものに興味のある人たちの間で広く読まれています。

まずは、そうしたセンス・オブ・ワンダーを身につけながら、経験を積む。その上で、成長するのに従って、外来種の駆除などのもう少し難しい問題について学んだり、環境や生きものと人の関わりについての知識や技術を身につけていけばよいというのが、阿部さんが教えてくれたことでした。

そして、成人期にはそうした学びを、自身の行動につなげていくことが理想だといいます。記者を含めた成人の姿勢についてもこんなアドバイスをもらいました。「小さい子どもは発育の差もあり、外来種の駆除について理解することは難しいが、大人がどう向き合っているかを子どもは見ている。生物多様性の保全のために大事だからこそ、大人は外来種と向き合う姿勢に気を配らないといけない」

◉ヒーローと「強敵」

さて、貴重な生きものや地域の生物多様性を守るために、外来種を駆除する実際の現場ではどうでしょうか？　外来種の命を奪いますが、遊びで外来種を傷つけるのとは違います。外来種も在来種も含めて、生きもののことを知ること自体が目的の観察会とも、活動の趣旨は違います。ただ、活動の重要さや駆除の難しさも理解した上でも、生きものの命を前にしたゆえの悩みにぶつかることはあるようです。

兵庫県の南部、稲美町(いなみちょう)に、「天満大池(てんまおおいけ)」というため池があります。兵庫県にはたくさんのため池があって、農業などに使われています。天満大池はその中でも、県内で一番古いといわれている大きな池です。

ひんやりと空気が冷えた2022年1月の朝、池の近くの広場には、子どもからお年寄りまで、たくさんの人が集まっていました。ここには県の絶滅危惧種になっているアサザという水草が生えていて、人々は黄色くてかれんな花をつけるこの水草を守るための「クリーン作戦」にやってきたのです。

写真2-3　天満大池に現れた，ため池マン（前列右）と外来生物のガニオン（前列左）

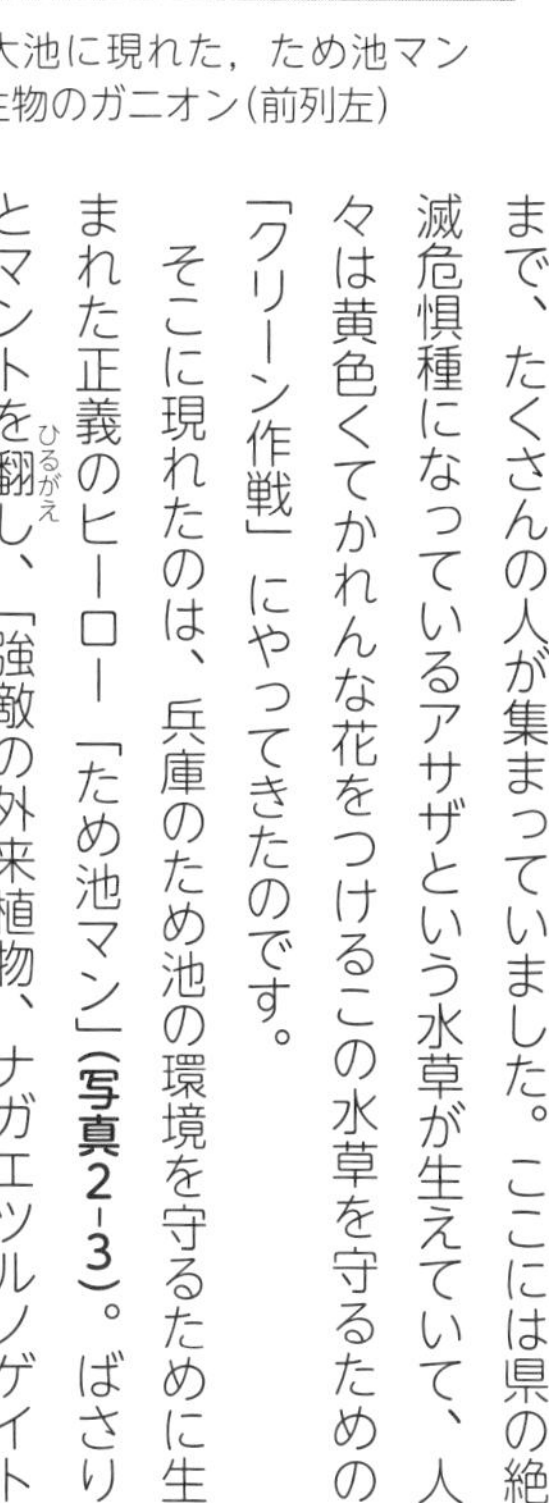

そこに現れたのは、兵庫のため池の環境を守るために生まれた正義のヒーロー「ため池マン」（**写真2-3**）。ばさりとマントを翻(ひるがえ)し、「強敵の外来植物、ナガエツルノゲイトウを倒しに行くぞ！」と声を張り上げました。おそろいの変身セットをもらった子どもたちはやる気満々。拳を握りしめ、みんなで天満大池に向かいました。

「強敵」と言われたナガエツルノゲイトウは外来の水草

です。白い花はかわいらしく見えますが、なんといっても繁殖力がものすごいのが特徴です。

「冬なので地上部が見えませんが、根をわずかに残しただけで繁殖します。ブロックの隙間に入り込むと、なかなか取れません。下流の町の１００カ所以上にはびこっています」

生物の専門家などでつくる兵庫・水辺ネットワークのメンバーで、天満大池の活動にも関わる碓井信久さんがナガエツルノゲイトウの生えている場所を指し示しながら説明すると、参加した人たちから「あー」「うわあ」と、ため息がもれました。

◉地球上で最悪の侵略的植物

ナガエツルノゲイトウ。長くて、耳なじみがない名前かもしれません。なので、ここからは「ナガエ」と略します。メディアでは「地球上で最悪の侵略的植物」と紹介されることもあります。おどろおどろしくて、アニメの悪役につきそうな二つ名ですね。

もともとは、南米に生えていました。今では日本のほか、北米やオセアニアなどにも外来種として入り込んでいます。茨城県つくば市にある国立環境研究所によると、１９８９年には日本でも、兵庫県尼崎市で定着しているのが確認されています。すでに西日本を中心に、国内のあちこちの水路や池、湖で広がっています（**写真2-4**）。

ナガエは岸に近い水辺でよく見られます。島のようにぷかぷか水に浮いて移動することもできれば、岸辺に上がって根っこを下ろすこともできる「水陸両生」の性質を持っています。ただ浮いているだけならばすくうこともできますが、船や機械がないと手が届きません。陸に生えているならその場所で抜いたり刈ったりできそうですが、不用意に刈り取ると茎(くき)のかけらから復活してかえって増えてしまいますし、地面の深くまで達した根を完全に抜き取ることはほぼ不可能です。どこに生えていても対策が難しいのです。

なにより、わずかな茎の節(ふし)からでも復活する生命力が厄介です。ある場所でがんばって駆除しても、ちょっとだけ回収しきれなかった茎などが水に乗って流れついた場所でまた広がってしまうのです。一度定着すると1年で爆発的に増え、水面が見えなくなるほどに広がって水路を詰まら

写真 2-4　水辺の生物多様性を脅かす特定外来生物のナガエツルノゲイトウ

せたり、イネなどの作物が育つのを邪魔したり、もともとその地域にあった植物が生える場所を奪ってしまったりします。

◉ブラックバスの「同期生」

実際、すでに定着してしまった場所では、大きな被害が出ています。田んぼで増えてしまうと、イネが使うはずだった場所や光を奪ってしまって、取れるお米の量が大きく減ってしまいます。川などにある排水施設にかたまりになって流れ着き、水の流れを邪魔して水はけを悪くするといった被害も確認されています。そうなると、大雨が降った時には川があふれて、周りの家や農地への被害が大きくなるかもしれません。一度わっと広がってしまうと、作物を守り、水害を防ぐために何億円ものお金と、たくさんの人手を使って取り除かなくてはならなくなりますし、そうした作業がいつまでも続くかもしれません。

ナガエは、人や他の生きものへの悪影響が大きいということで、「外来生物法」という法律で2005年に特定外来生物に指定されています。指定されると、原則として生きたまま持ち運んだり、栽培したりすることが禁止されます。ナガエは、法律ができたあと、真っ先に特定外来生物に指定された生きものの1つです。他の「1期生」には日本の魚や水辺の昆虫などを食べてしまう肉食の淡水魚ブラックバスや、沖縄などに持ち込まれて島の生きものたちに大きな被害を出していたマングースもいました。それだけ、恐れられてきたのです。

◉とにかく早く、時間との闘い

天満大池では、2018年の年末に初めてナガエが見つかりました。すぐにボートや、工事用の機械も出動させて駆除に取りかかりました。岸辺の石積みの隙間にも根を張っていたので、2年がかりで抜いたり、隙間をコンクリートで埋めたりしました。

外来種の駆除は、スピードが勝負になることが多いです。外来種がやってくる時は、だいたいどんな種でもはじめはごく少数です。その時点で取り除くことができれば、そんなに大きな問題にはならないでしょう。

ところが、見慣れない生きものがいたとしても、少ししかいないと見つかりにくいですし、被害も目立ちにくいので、大した問題ではないだろうと放っておかれることも多いのです。県や市などの役所が対処する場合はお金の使い道を議員の人たちなどと話し合って決めるので、実際に駆除に取りかかるまでに時間がかかることもあります。みんなから集めた大切なお金なので話し合いは必要ですが、生きものはその間にもどんどん増えるので、いざ駆除しようとする時には、最初の時点より、何百倍ものお金や人手が必要になってしまいます。

そういう意味で、天満大池の地域の人たちの行動はとても素早いものでした。もともとアサザを守るために池で活動していたこともあり、こまめに普段の池の様子を見守っていたことで、ナガエが大繁殖する前に駆除にこぎ着けたのです。手で抜いたり、太陽の光を遮(さえぎ)って光合成させないようにする黒いシートを使ったりして、2022年の段階では見守りを続けながら「完全駆除とまではいかなくても、99%は駆除できている」状態になっていました。

◉どうしてヒーローを呼んだのか

ところで、天満大池の活動では、ナガエの駆除作業をさして、「強敵を倒す」という表現が出てきます。一方、先に紹介した川井さんの観察会では、生きものを「やっつける」とか「悪者」という言葉は絶対に使わないということでした。どちらが正しいということではなく、たとえば、それぞれの場面でこんな風にも考えることができるかもしれません。

川井さんの観察会では、生きものに触れることが大きな目的です。まずはいろんな生きものがいることを知って、その魅力を感じてもらうには、先入観がない方がいいのかもしれません。一方で、天満大池の方は駆除活動です。以前から大事にしてきた、絶滅の恐れのあるアサザを守る上では、悪影響がとても大きくて、あっという間に増えてしまうナガエは、まさに活動にとっての「強敵」。手作業での駆除は手間がかかり、始めるのはもちろん、続けるのにはさらにたくさんの人の力が要ります。時間と労力がかかる厄介な相手がナガエです。

地域の人たちには、地域の自然がどうなっているのか興味を持ち続けてもらい、一度だけではなく、問題が解決するまで助けてもらわなければいけません。活動を引っ張る天満大池土地改良区の西澤一弘理事長たちは、どんな活動をしているのか説明するチラシを地域に配り、小学校にも出かけてアサザや外来種について説明していました。小学生には、手強(てごわ)いナガエの駆除にも加わってもらっています。ヒーローが登場する楽しいイベントをめざすのも、「遊び心がないと来てくれへん」との思いがあるからです。

そのかいあってか、「クリーン作戦」にはたくさんの人が集まりました。ナガエの悪影響についても知ってもらい、この日は深いところでの駆除こそあきらめたものの、参加者は手分けして、アサザの株の間に入り込んだ細かい茎まで丁寧に袋に入れていました。

実は今、ナガエについて「強敵」「厄介な」「手強い」「悪影響」という言葉を使い分けてみました。受ける感じは変わりましたか？　前に出した言葉の方がイメージはわきやすいかもしれません。後に出した言葉の方が落ち着いた表現に感じられるかもしれません。生きものに親しむ観察会、調査や研究、地域の自然を守るための駆除活動といった、場面によって、あるいは人によって対象のとらえ方、言葉の使い方は様々であってもよいと思います。

それに川井さんが心配していた「外来種だから価値がない」とか「外来種は殺していいんだ」というような単純な考えを天満大池で活動する子どもたちは持っていないように感じられました。そしてだからこそ、一緒に活動する大人たちは、また別の悩みも抱えていました。その話を続けます。

◉ナガエだけじゃない「強敵」

実は、天満大池にいるアサザの「強敵」は、ナガエだけではありません。やはり外来種のアカミミガメも、池にすんでいます。ナガエと同じように駆除もしていますが、少し様子が違うようです。「カメの駆除の話をすると「かわいそうや」って言う」。西澤さんは、子どもたちの反応の違いを感じていました。

悪影響だけ見れば、アカミミガメも、ナガエと並ぶくらい、地域の自然に影響を与える生きものです。ナガエは「特定外来生物」ですが、アカミミガメは２０２３年に「条件付特定外来生物」になりました。「条件付」というのは、特定外来生物ではあるけれど、当分の間一部の規制を外される、というしくみです。アカミミガメはこのしくみで指定された第１号になりました。

ちなみに、アメリカザリガニも同時に指定されました。外される規制は対象となる生きものによって変えることができますが、この２種では、捕まえたり、飼ったりしてもいいけれど、野外に放したり、売ったり買ったりしてはいけないということになりました。

特定外来生物を飼うには特別な手続きが必要になります。この２種は、ペットとして飼っている人がとても多い生きものなので、単に「飼ってはダメ」としてしまうと、手続きが面倒でかえって外に放してしまう人が増えるのではないかと心配されていました。もともとの法律だと対処できないことから、この2種にも対応できるように、わざわざ新しいしくみが作られたのです。

◉心の痛み、関心の高さ

大きな悪影響があることは明らかなアカミミガメですが、子どもたちにとって、実際に駆除するとなると抵抗はあるようです。それが「カメはかわいそうや」という反応につながっているのでしょう。逆に、ナガエのような植物には、それはそれで悩ましい面があるようです。

碓井さんと同じく兵庫・水辺ネットワークのメンバーで、植物生態学に詳しい丸井英幹さんは、「植物は痛みを感じないと思っているからか、駆除の合意は得やすい。でも、生えていたら困るということが想像しにくく、対処に乗り出すのが実害が目に見えてからということも多い」と話してくれました。

植物を抜くのにそこまで心が痛むことはないし「強敵を倒す」と思って取り組めるけれど、何となく人間に近い生きものという感じがする動物のカメはかわいそう。そのかわり、植物はかみついてきたり農作物を食べてしまったりしない分、どうして問題なのか一見分かりづらいという面がありそうです。子どもでなくても、なんとなく、そんな気持ちになる人は多そうです。

地域本来の自然や、貴重な生きものを守っていくためには、外来種対策に関心を持ってもらう必要があります。一方で、すぐに「問題だ」と理解しやすいのはカメのように「かわいそう」と思われやすい生きものでもあったりします。ひとことで外来種といっても、つきあい方は一筋縄ではいきません。

駆除や保護の場面だけではなく、この本を読んでいるみなさんの中にも「生きもの」と聞くと、動物のことを思い浮かべる人や、「動物」と聞くと、哺乳類（ほにゅうるい）を思い浮かべる人がいるかもしれません。ですが、本来「生きもの（生物）」には動物も植物も含まれますし、「動物」には哺乳類だけではなく、昆虫やミミズといった生きものも含まれます。ちょっと忘れられがちですが。

◉関心が高い生きもの、そうではない生きもの

少し話がわき道にそれますが、動物に注目が集まり、その他の生きもの、たとえば植物や微生物などへの関心がそれほどでもないのは、世界共通のようです。

イタリアの研究チームがメッセージアプリなどで使う「絵文字」になっている生きものについて調べたところ、分類できた112の生きもののうち、実に92が動物で占められていました。なかでもイヌやカメ、鳥、魚のように背骨や、それに近いものがある生きもの（脊索動物といいます）が大半で、70ありました。植物は16、キノコなどの菌類は1つだけでした。

生きもの全体で見れば、脊索動物より植物や菌類の種数の方がずっと多いのに、です。

ちなみに、生きものの中で一番種数が多いのは、圧倒的に節足動物というグループです。カブトムシなどの昆虫やカニなどを含み、脊索動物の10倍以上の数の種がいるとされています。絵文字はチョウなど15あったとのことですが、実際の種数を考えると少ないような気がします。チームは、「人は身近な生物（脊索動物など）に対してより共感的で意識的になる傾向がある」として、実際に生きものを守ろうという活動をする時にも、植物や菌類が自然界で大きな役割を果たしているにもかかわらず、動物に関心やお金が集まりやすいとしています。

もっとも、たくさんの絵文字がある動物であっても、その生きものを守るのに役立つようなメッセージでよく使われているかというと、そうでもないようです。イタリアの研究チームの論文ではカメの絵文字が、物事の遅さについて表現する時に使われることに触れています。ただ、そうした文脈であっても、多くの人が絵文字の示す生きものについて知っていて、その生きものが持つ何らかのイメージが共有されているとはいえるでしょう。ではナガエの絵文字をつくったとして、受け取った人がそれをナガエだと分かって、「よく増えるよね」などと特徴を連想できるかというと難しいように思います。実際の自然の姿に対して、私たちの認識に偏りがあるということは頭のすみっこに入れておくといいかもしれません。

大正川のカメたち

生きものたちを前に無意識に、あるいは意識的に区別をしてしまうのは子どもたちや一般の人たちだけではありません。プロの人だって、時に自分の気持ちをうまく整理しきれずに、悩みながらの判断を迫られることはあります。

今回の場所は大阪府茨木市。大阪市の少し北にあります。その住宅街の中を、大正川という1本の川が流れています。岸から岸まで数メートルの小さな川ですが、網を入れてがさがさと探ってみると、フナやナマズ、エビなど、いろいろな生きものを捕まえることができます。川の環境を守ろうと、いくつかの団体が定期的に活動をしています。その1つが、「和亀保護の会」です。和亀とは日本に昔からいる在来種のカメを意味しています。

大正川には環境省のレッドリストで準絶滅危惧とされているニホンイシガメ(イシガメ)もすんでいます。準絶滅危惧とは、現時点では絶滅する恐れは小さいけれども、環境の変化などによって、絶滅危惧種になる可能性がある生きもののことです。つまりイシガメはこのままだといつか絶滅危惧種になってもおかしくなく、将来が安心というわけではないのが現状です。ただ、大正川は、和亀保護の会をはじめ、地域の人たちが大事にしてきたこともあり、貴重な生息地になっています**(写真2-5)**。

暖かい季節には、くりっとした目のイシガメたちが、川岸の草むらなどで日光浴をしている姿を観察することができます。会のメンバーや活動に参加するボランティアにとっても、川のマスコット的な存在だといえます。

大正川には別のカメもいます。アカミミガメやクサガメたちです。定期的な活動の際には、メンバーやボランティアがカメたちを捕まえて、洗濯ネットに入れて運んで集めて、甲羅の長さを測ります。その後、条件付特定外来生物のアカミミガメは駆除します。準絶滅危惧のイシガメはもといた場所に放します。そして、クサガメは少し離れた下流で放されます。

「ボリさん」の愛称で知られる、和亀保護の会の代表、西堀智子さんは、クサガメを捕まえた後、再び放流することについてこんな風に考えています。「後顧の憂いは大ありですけどね」。少し難しい言葉ですが「後顧の憂い」とは、「あとあと心配なこと」というような意味です。クサガメを放すことがどうしてそんなに心配なことなのでしょう？

写真 2-5 大正川のカメたち．イシガメ(左)，クサガメ(右)，アカミミガメ(下)

◉クサガメは在来種 ↓ 外来種？

あまり広くは知られていませんが、日本にいるクサガメは大陸から人によって持ち込まれたものではないかとする見方が、最近では強まっています。かつては日本にもとからいた在来種と考えられていましたが、古い記録を調べたり、遺伝子を解析したりした結果、どうも中国や韓国から導入された外来種なのかもしれないとも言われるようになっています。少なくとも、大正川にいるクサガメは誰かがよその地域から持ち込んだようです。

そしてクサガメは、絶滅危惧種になってしまうかもしれないと心配されているイシガメに対する脅威となっていることが分かってきました。クサガメはイシガメとも繁殖しようとしてイシガメの繁殖の機会を奪ったり、実際に雑種をつくったりしてしまうことが知られています。これでは、クサガメがいると日本のイシガメは子孫を残しにくくなってしまいます。

アカミミガメではイシガメと雑種をつくった事例はまだ確認されていないようです。つまり、イシガメが今後も大正川にすみ、子孫を残していけるかどうかを考えると、クサガメはアカミミガメよりも厄介な存在かもしれないといえます。大都会である大阪市の目と鼻の先という場所に残された、貴重なイシガメの生息地へクサガメを再び放流してしまうことは、イシガメの保護を考えればやめた方がよさそうです。

◉「駆除への理解は得られにくい」

西堀さんももちろん、そんな危うさはよく分かっています。むしろ、日本の自然やもとからいた生きものに悪影響を及ぼす外来種の問題に対しては、会として積極的に取り組んできました。和亀保護の会は２００４年にできました。２年後の２００６年には、民間の保護団体として国内で初めて、法律に基づいて、人にもかみついて危害を及ぼす恐れのあるカミツキガメを駆除する認定も受けています。今も全国各地でアカミミガメの捕獲や、ため池での外来種の魚の駆除などに関わり、講演や指導にも力を入れています。

それに、さっき触れたように大正川で捕れた外来種のカメでも、アカミミガメは冷凍庫で静かに安楽死させた上で肥料にしたり、研究機関に研究材料として提供したりしています。カメ以外の生きものでも、在来の生きものを食い荒らすなどし、生物多様性への悪影響が大きな生きものであるブラックバスやウシガエルなどの外来種も見つけたら駆除しています。

どうしてクサガメだけは放すのでしょうか。西堀さんは、「古くから多くのクサガメが生息する関西では、駆除への理解は得られにくい現状があります」と説明します。約20年前に会を立ち上げた頃、クサガメはまだもともと日本にいた在来種のカメではないかと考えられていました。つまり「和亀」でした。会として保護する対象でした。

今でも会のメンバーの中には「クサガメまで駆除してしまうのはやりすぎではないか」「昔からいるし、そのままでもよいのでは」という意見があるそうです。アカミミガメの駆除は支援してくれる自治体の職員さんからでさえ「クサガメは堪忍したってほしい（許してあげてほしい）」と打ち明けられたこともあるといいます。西堀さんは「私がもし「クサガメを駆除する」と言えば間違いなく反対されると思います」と言います。

カメの保護や環境保全活動は1人ではできません。地域の人や、自治体、研究者や専門家など、たくさんの人が関わって、力を合わせて取り組んでいる場合がほとんどです。ただ、関わってくれる人や団体が増えるほど、多くの人からいろんな意見や考えが出てきます。クサガメをどうしたらいいのかという問題は、手遅れにならないようにしなければなりませんが、かといってすぐに解決するのは難しいかもしれません。

◉西堀さんにとってのクサガメたち

でも、クサガメを再び放してしまう理由はそれだけではありませんでした。西堀さんは、「私にとって、アカミミガメは冷凍庫に入れられても、クサガメや、クサガメとイシガメの雑種を同じように冷凍庫に入れることはとても難しいのです。理屈ではなく、ただただ気持ちの問題です」と明かします。

本人もクサガメを川に戻すことの問題点は理解しています。頭では分かっています。だけども、和亀保護の会ができた約20年前には守ってあげるべき存在だったカメたちです。それが、研究が進んだことで「和亀」ではない可能性が高くなり、むしろ会として守るべき和亀であるイシガメにとっての脅威ではないかと考えられるようになっているのです。

しかも、大正川のクサガメのほとんどは、１匹ずつ区別ができるようにしてあります。カメには悪影響が出ないような小さな穴を甲羅に開けるナンバリングをしているからです。穴を開ける場所をカメごとに変えることで番号を振っているのです。そうすると、カメたちの生活ぶりも見えてきます。10番のクサガメさんはいつも同じ中州で甲羅干しをしています。１４５番のクサガメさんは大きな傷を負ったけれども、今は元気になって今年は３回見つかりました……。といった具合です。

調査で捕まえられて、洗濯ネットに入れて集められたカメたちを、西堀さんは、慣れた手つきで持ち上げて、手早く計測していきます。でも、決して乱暴に扱うことはありません。

それはイシガメでも、クサガメでも、駆除するアカミミガメでも一緒です。

クサガメへの気持ちを西堀さんはこんな風に表現します。「私たちにとって個体識別したクサガメたちは、「顔見知り」なんです。本来はイシガメを増やそうとしている大正川のクサガメこそ取り除かなければならないのはじゅうぶん分かっているんですが……」。何年間も、真剣に、時には愛情も持って向き合ってしまったからこそ、クサガメたちへの思いは簡単には割り切れないものになっています。

◉理解者からの鋭い指摘

クサガメを冷凍庫に入れて安楽死させるのは自分には難しい。そんな西堀さんもかつて、同じような気持ちを打ち明けてくれた人に会ったことがあるそうです。ずいぶんと昔のことで、あるボランティアの方からの「アカミミガメが野外にいてはいけないことはよく分かっているけれど、安楽死に苦しさを感じる」という相談でした。

その時西堀さんは「あなた自身が全てをやる必要はない。できないことは人に任せて、やれることをやればいい」と答えたそうです。でも、そのボランティアの人にかけた、「できないことは人に任せてやれることをやればいい」という言葉は、今の自分自身にはかけられないと考えています。

「ボリさんは確信犯だと思う。確信犯はたちが悪い」

以前、クサガメ問題をあるNPOのメンバーと話した時に、こんなことを言われたそうです。確信犯とは本来は、「やっていることが正しい行為だと信じて犯罪などをしてしまう人」の意味ですが、最近では、「悪いと分かっているのにしてはいけないことをする人」としてもよく使われます。西堀さんが言われたのは後者の方の意味になります。

かなり強い批判のようにも思えますが、そんな言葉を投げかけてきた人とは、ずっとお互いの活動を認め合い、支え合って来たよき理解者同士で、今でも大の仲良しです。よき理解者だからこそ、あえて普通の人には言いにくいことをズバリと言ってくれたというようにも聞こえます。日本のカメを守る活動、外来種問題への取り組みを、20年間にわたって引っ張ってきた団体の代表でもある西堀さんに対して、いつまでも「クサガメの駆除は難しい」というところで足踏みしていていいのかと問いかけているようにも感じられます。

西堀さんも、このままでいいとは思っていません。大正川ではまだ決心が付かなくても、他の現場では思い切って「クサガメの駆除も検討する必要があるのでは」と提案することも始めたそうです。

◉どんな道を選んでも苦しさはある

大正川でクサガメを計測した後で下流に放すのは、周りの意見と自分の考えで、今はクサガメを駆除することが難しいからです。せめてイシガメと引き離して悪影響を避けたいからというのが理由です。なんとかやれることをやっている、という状況なのです。

でも、やっぱりイシガメがいるところまで戻ってくるクサガメがいます。下流に放すことに、どこまでイシガメを守る効果があるのかも分かりません。全く意味がないかもしれませんん。そのうちにイシガメが姿を消してしまう恐れだってあります。イシガメの保護を考えれば、クサガメを放すのは不十分で手ぬるい取り組みのように映るかもしれません。

一方で、クサガメの話を知って、みなさんはどんなことを感じましたか？　在来種ではなく外来種だと分かったからといって、今まですんでいた川から排除するのはクサガメがかわいそう、「人間は勝手だなあ」と思う人もいるかもしれません。逆にクサガメをいつまでも放してしまうのは悪影響を受けるイシガメがかわいそうだと感じる人もいるでしょう。あるいはどちらのカメもかわいそうという気持ち、でもどうしたらいいんだろうという迷いだって全く否定されるものではないように思います。

研究者や環境保全活動をしている人の間にも、「まだ日本のクサガメが全て外来種だと言い切れるわけではない」という意見がありますし、「もしクサガメしかいない水辺なら、駆除する必要はあるだろうか」という声もあります。どんな考えに立ったとしても、どんな道を選んだとしても、駆除や保護など、野生生物の命と向き合う時には、矛盾や葛藤、居心地の悪さや苦しさがつきまといます。生きものが好きな人ならなおさらです。西堀さんが向き合っているのはそういう現場なのです。そんな現場はたくさんあります。

コラム　外来種とは？

この本をさらに読み進めるにあたって、1つきちんと知っておくといい言葉があります。それは「**外来種**」のことです。すでにアカミミガメやアメリカザリガニなど、いろいろな名前が出てきましたし、おそらく多くの人が耳にしたことはあると思います。ですが、きちんと説明しようとすると、あいまいな部分があったり、間違ったイメージを持ったりしている人も少なくありません。なるべく具体的な生きものの名前も出しながら説明するので、少しだけお付き合いください。

まず、外来種って何でしょう？　すぐにイメージできるのはどんな生きものでしょうか？　アカミミガメやアメリカザリガニの他に、セイヨウタンポポやセイタカアワダチソウなど、少し生きものに詳しい人なら、動物も植物もいくつも思い浮かぶと思います。また、こうした生きもののイメージから「海外から日本に入ってきた生物」のことだと考えている人もいるかと思います。

実際は、外来種とは「もともとその地域にいなかった生物で、人間の活動によって他の地域から持ち込まれた生物」のことです。「種(しゅ)」とつきますが、何か特定の種を指すというよりは、人間の行為によって持ち込まれた生きもののことだと考えてください。たとえば、日本国内でも沖縄の生きものを北海道に持ち込んだり、ペットショップや園芸店で買って育てたり飼ったりした生きものを野外に放したりすれば外来種です。

また、持ち込まれた時期は関係なく、大昔に人間が持ち込んだ生きものも外来種です。誰かがわざと持ち運んで来た生きものも、気付かずに荷物に入っていたり、服にくっついていたりして持ち込まれた生きものも外来種です。日本にはすでに数千種の外来種が野外にいるとみられています。それらの中には、毒を持っていたり、人の暮らしに悪影響を与えたりするものもいます。なので、もしかすると「外来種って怖い生きものだよね」と思っている人もいるかもしれません。

◆私たちを助けてくれる外来種たち

でも実は、私たちの生活には外来種が不可欠です。日々食べているお米や野菜、甘くておいしい果物は、ほぼ全てがもともと日本にはなかった外来種たちです。これらの食べ物がなければ私たちは生きていくことができません。

しかも、こうした農作物の中には、果実を実らせるために、花粉を受け渡しする必要があるものがたくさんあります。そこで大活躍してくれるのがミツバチ。この働き者たちも、多くはセイヨウミツバチというハチたちです。日本を含めた世界中で働いていますが、「西洋」の名の通り、ヨーロッパ原産です。ですが、このセイヨウミツバチという外来種の助けがなければ、農業は成り立ちませんし、おいしいハチミツも手に入りません。

他にも、イヌやネコ、キンギョや、外国産の熱帯魚やヘラクレスオオカブトなどの昆虫を飼っている人もいるでしょう。これらの生きものも日本の野外では外来種ですが、大事に飼っていくことで、癒やされたり、育てる楽しみをもらったりすることができます。別に外来種だから全てが怖い生きものというわけではありません。

少なくとも、私たちの暮らしにとっては、いなくなってしまうと困る外来種がいるし、いてくれると暮らしが豊かになったり、心が満たされたりする外来種もいるということは事実です。では、外来種の何が問題になるのでしょうか？

◆問題なのは「侵略的かどうか」

ここまでで分かるように、外来種の中には私たちの暮らしに恵みをもたらしてくれるものがいます。反対に、私たちにとって大切なものに害を及ぼすものもいます。すでに出てきたもの以外にも、たとえば、セアカゴケグモは毒を持っていますし、アライグマは人や家畜にもうつる感染症を広げたり農作物を荒らしたりします。川や水路では、岸に穴を掘って土手を壊してしまうこともある大型のネズミの仲間ヌートリアや、大繁殖して水の流れを妨げるホテイアオイなどの水草が問題になっています。

それから、絶滅の恐れのある魚や昆虫などの水生生物がすむため池などで、そうした生きものを食べてしまうブラックバスや、世界でも日本の限られた場所にしかすんでいない生きものを人が持ち込んだマングースが襲う話を聞いたことがある人もいるでしょう。こうした悪影響が大きな外来種のことを「**侵略的外来種**」といいます。外来種だから問題なのではなく、「侵略的」だから問題なのです。

少し付け加えるなら、こうした「侵略的」な生きものには、外来種でなくても対策が必要になることがあります。第1章で出てきたニホンジカやアオウミガメの事例で少し紹介したところです。その地域にもともといた生きものを「**在来種**」といいますが、在来種であっても、増えすぎてしまって人や自然に悪影響を及ぼす時には、それを防いだり抑えたりすることも考える必要があります。「外来種だから悪いやつ」「在来種だからいい生きもの」といった単純化しすぎたとらえ方では、こういう問題は解けません。

◆外来種問題を甘く見てはいけない理由

侵略的外来種は、私たちの社会や経済を支えてくれる生物多様性（172ページコラム参照）にとって大きな脅威の1つだとされています。

侵略的外来種の中でも、特に悪影響がある生きものや、他の国などでも問題になっていてもし日本に入ってきたら、日本の生きものを食い荒らしたり、人にもうつる病気を持ち込んだり、農林水産業に大きな被害を出したりするかもしれない生きものが、外来生物法で「**特定外来生物**」に指定されています。つまり、侵略的外来種を駆除したり、こうした生きものが入ってこないように規制したりすることは、日本の自然を守ることはもちろん、私たちの健康や社会、経済を守ることにもつながります。

　特定外来生物の多くは、生きたまま持ち運ぶことも禁止されています。それだけで懲役(ちょうえき)刑、つまり刑務所に入れられることだってありえるほど厳しい規制です。大げさに聞こえるかもしれませんが、そのくらい危険性をはらむものだといっていいでしょう。

　もう１つ、侵略的外来種が問題だとは書きましたが、ある生きものが別の場所に持ち込まれた時に侵略的であるかどうか、つまり悪影響を及ぼすのかどうかはよく分からない場合が少なくありません。結果的にはほとんど何も起こらなかったり、ごくたまーに、役に立つこともあったりするかもしれませんが、後になって思わぬ悪影響が判明することもあります。何が起こるかよく分からないようなものをむやみに広げるのは、生きものに限らずとても危なっかしいことです。

◆どの場所で何を見るのか

　日本の野外には、すでに数千種の外来種がいる一方で、もともと日本にいた生きものが、海外で大きな被害を出している事例もあります。たとえば、山菜としても知られるイタドリが、イギリスではあちこちで爆発的に増え、伸びる際に道路を突き破ったり、建物を傷めたりして深刻な問題になっているそうです。数年前にはアメリカで日本のスズメバチが見つかり、「殺人バチが入ってきた」と大騒ぎになっていました。

また、外来種とは本来の生息地から別の場所に人が持ち込んだ生きものなので、少し前に書いた通り、日本にもとからいる生きものでも、もともとすんでいた場所から国内の別の場所に運ばれれば、外来種です。海外から来たものを「**国外外来種**」と呼ぶのに対して「**国内外来種**」と呼ぶこともあります。

北海道には本来いなかったトノサマガエルやアズマヒキガエルといったカエルたちが持ち込まれて、もともと北海道にいたカエルたちに悪影響を与えています。皮肉なことには、アズマヒキガエルもトノサマガエルも、本州のいくつかの地域のレッドリストでは絶滅危惧種です。トノサマガエルに至っては環境省のレッドリスト、つまり全国版でも準絶滅危惧になっています。

ある地域では数を減らしつつあって心配されている生きものが、別の場所では地域の他の生きものに悪影響を及ぼしてしまう——。どの場所で見るのかによって、同じ種類の生きものが、ある時は地域の在来種だったり、厄介な外来種だったりします。あるいは、ある時は在来種だと考えられていたものが、研究が進んだことによって実は外来種だったと分かることもあります（逆もあります）。

繰り返しになりますが、人間の活動によって持ち込まれて、本来とは違う場所にくらす生きものたちも「厄介者」として生まれてきたわけではありません。でも、そこにはいなかったものが突然やってきたことによって、人間にとって、あるいは他の生きものにとって、時に見過ごせないくらい大きな悪影響を与えることがあるのは事実です。

そうした危険を避けるためにも、侵略的だと分かっている外来種に限らず、生きものをもともとくらしている場所から他の場所へ持ち出して広げてしまうことは避けるべきでしょう。一人一人が気をつければ、悪影響を受ける生きものや人はもちろん、侵略的外来種として意図せずして「加害者」になる生きものも、生み出さずにすむのです。

第3章
調べるのも守るのも簡単じゃない

淀川河口付近にとどまり，潮を吹くマッコウクジラ
＝大阪湾，朝日放送テレビヘリから

ここまで、いろいろな生きものを捕まえたり、駆除したりすることについて考えてきました。でも、野生の生きものとつきあうなかで悩ましいのは、そうした場合だけではありません。この章では、大きなニュースになった生きものや、逆に地域の昆虫館が取り組んでいる一見、目立たない工夫を通じて、生きものの命との向き合い方や、生きものに関わる人たちの思いを考えてみようと思います。

◉海に沈めたマッコウクジラ、他の道は？

2023年の年始めに、大阪市の淀川(よどがわ)河口の近くで大きなクジラが見つかったことを覚えているでしょうか(**本章扉の写真**)。大都市の近くだったこともあり、テレビにも毎日のように映りました。このクジラのことを、見つかった場所の名前にちなんで「淀ちゃん」と呼ぶ人もいました。クジラははじめ、潮を吹き上げて泳ぐ様子を見せていましたが、数日後に動かなくなり、やがて死んでいるのが確認されました。専門家が調べたところ、オスのマッコウクジラで、全長は約16メートルあると分かりました。

クジラは、死んでしまっても海面に浮いたままでした。そのままにすると、腐って周りに嫌なにおいが漂ったり、近くを通る船とぶつかって事故になったりしてしまうかもしれません。この時は結局、港を管理する大阪市の判断で、クジラの体を大きな船に載せて沖まで運び、約30トンの重りをつけて深い海に沈めました。大阪市の松井一郎市長は「海から来たクジラくんですから、亡くなってしまったら海に帰してあげたい、僕はそう思っています」と話しました。

死んでしまったのはかわいそうだけれど、海に戻れたのはよかった——。こうした思いを抱く人は少なくないように思います。もちろん、これも大切な気持ちです。一方で、ここでは、そうではない考え方も紹介したいと思います。

◉市長が海に帰したかったわけ

大阪市にある大阪市立自然史博物館（市博）は、クジラが海に沈められた翌日、ホームページに「当館では市の関係部局に標本化の希望を伝えてまいりました」などと掲載しました。

標本化というのは、生きものの体を処理して、長い期間保存できる状態にすることです。ひと口に標本といっても生きものの種（しゅ）や、標本の使い道によって色々なタイプがありますが、動物の骨だけを残す「骨格標本」は、博物館などで見覚えがあるかと思います。骨格標本をつくる時には、死んでしまった動物から筋肉などをできるだけ取りのぞいたあと、長い時間煮る方法などがとられます。ぐつぐつ煮て処理することで、骨の周りや内部に残ったたんぱく質や、脂肪を取りのぞくのです。

ただ、この方法は、体が大きなクジラには使えません。大きすぎて、クジラの体を入れて煮ることができるようなサイズの器具がないからです。大きなクジラの場合は、解体してできるだけ筋肉などを取りのぞいたあと、いったん土や砂の中に埋めて微生物が分解してくれるのを待ち、数年後に掘り返す方法があります。

記者（杉浦）が市博の佐久間大輔学芸課長たちに話を聞くと、クジラが淀川に来たことが分かってすぐ、大阪市の関係部局と連絡を取り始めたことを教えてくれました。死んでしまったのが分かった時には、標本にしたいこと、なぜそうしたいのかだけでなく、処理にかかるお金の助けになる制度についても伝えたといいます。クジラなどの海の哺乳類（ほにゅうるい）が漂着して死んでしまった場合は、地元の自治体の判断で粗大ごみとして処理してよいことになっていることに加え、市博はその名の通り大阪市の施設なので、大きなお金に関することなどは市の方針を聞く必要があったのです。ただ、結果的には海に沈めることになり、標本にはできませんでした。

理由について、松井市長は、「腐敗が進むと、体内にガスがたまって爆発する。そうなると周辺の住民に非常に迷惑がかかる」と、スピード感を重視したと説明しました。短い期間で大きなクジラを埋める場所を確保するのは難しいとも話しました。

◉博物館が「標本にしたい」と言ったわけ

では、市博は、どうして標本化を希望したのでしょうか。

博物館というと、標本や、模型などの資料を展示しているイメージが強いかもしれません。でも実は、展示されているものは博物館が持っている資料のごくごく一部です。市博にも2021年度末時点で約193万点もの資料がありますが、展示しているのは約1万5000点と、持っている資料全体の1%にもなりません。いつもは出ていなくても特別展などで見られるようになることもありますが、一度も展示されないものも多いのです。では、こうした資料を持っておくことにはどんな意味があるのでしょうか？

　市博の和田岳主任学芸員は、展示などの普及・教育だけではなく、標本を集めて、研究の基礎をつくることも博物館の大切な役割だと説明してくれました。

　標本を見ると、いちいち生きているものを捕まえに行かなくても、生きものの体の形や、大きさなどが分かります。形や大きさは生きものの生き様（ざま）に関わることが多いですから、それだけでも色々な情報が得られます。

　標本は「たくさん集める」ことも重要です。生きものは同じ種であっても、オスなのかメスなのか、年齢、どんなところで育ってきたのかなどによって、それぞれ違いがあるからです。同じくらいの年齢の人が集まっているはずの学校のクラスでも、全く同じ人がいないことを考えると、想像しやすいかもしれません。

　いくつもの標本を比べることで初めて分かることはたくさんあります。たとえば、図鑑には生きものの大きさが載っていますが、１匹ずつ見てみれば、大きい個体も、小さな個体もいます。この種はだいたいこれくらいの大きさだ、と言うためには、個体をいっぱい見比べ

写真 3-1　大阪市立自然史博物館で展示されている体長 19 メートルのナガスクジラの骨格標本

なければいけません。病気の痕跡(こんせき)など、他とは違う特徴を持つ個体がどのくらいの割合でいるのかも、標本が1つだけでは分かりません。今回でいえば、市博にはすでにメスのマッコウクジラの標本がありましたが、死んでしまったオスとは、明らかに形が違います。標本が手に入れば、性別の差を含め、種についてより深く知ることにつながるだろうという期待がありました。

こうした研究の成果は、研究者が論文にして世界中の人に知らせることもありますし、野生では数が減ってしまって絶滅の恐れがある生きものをまとめたレッドリストなどの情報にも生かされます。将来、いつ、誰がどんなことを調べるのかは分かりませんから、博物館ではできるだけたくさんの標本を作って、取っておいてあるのです(**写真3-1**)。

クジラならではの理由もあります。巨大な体を持つクジラは、生態系の中でもまさに「大きな存在」であり、海の環境を体現する生きものです。さらに、数が多く、身近でまとまった数を採取できる生きものに比べ、普段は海の中でも陸から離れたところや、深い場所にいるクジラの標本を残すことができるチャンスはなかなかめぐってきません。佐久間さんは「今の大阪湾を記録するもの。得がたい個体で、記録して将来に残せればと考えた」と説明してくれました。

◉戦争、気候変動……クジラやイルカが伝えること

クジラやイルカなどが海岸や浅瀬に打ち上げられることを「ストランディング」といいます。浅い場所に迷い込んだり、漂流したりすることも含めてそう呼ぶこともあります。船が浅瀬や岩場に乗り上げてしまう「座礁(ざしょう)」を意味する英語でもあります。そのイルカやクジラを調べることは、その個体だけでなく、海の状況を調べることにつながっているという点について、大阪以外での事例も交えて紹介したいと思います。

ストランディングには、漁網に引っかかってしまったり、船と衝突したりと、人が関わっ

たとみられるものもあります。漁網は船にも引っかかる可能性がありますし、ストランディングしている大きなクジラにぶつかれば、衝突した船も壊れてしまうかもしれません。こうした情報を得ることは、海の安全につながります。

２０２２年にロシアがウクライナに侵攻し、本書を執筆している今(24年6月現在)も戦争が続いています。その影響がイルカにも出ているのではないかと考えている人もいます。フランスの通信社、ＡＦＰ通信が２０２２年9月に報じたところによると、ウクライナの南側に位置する海「黒海」では、ロシアの侵攻が始まった後、何千頭ものイルカのストランディング個体が見つかったそうです。侵攻が始まってから、たくさんのイルカが死んでいることの原因について研究者が、ロシア軍の船に付いているソナー(音波や超音波を出して水中を調べる機器)だと考えていることなどが紹介されています。

次は川の話ですが、２０２３年には、南米のアマゾン川の支流で、アマゾンカワイルカという絶滅危惧種のイルカが１２０頭も死んでいるのが見つかりました。ロイター通信によると、気候変動の影響にともなう記録的な干ばつで川の水位が下がり、それによってイルカがすむ川の水温が上がったためではないかとみられています。この年は水温が普通より10度近くも高い39度になる日がありました。気候変動は人の活動によって引き起こされたと考えられています。原因はまだ特定できていませんが、広い意味で、人が関わったストランディングといえるかもしれません。

◉野生生物の死は、自然からのメッセージ

生きものが死ぬのは海や川だけではありません。森や人里で死んだ野生動物、ペットも含めて解剖や検査を行うことで死亡原因などを突き止める「法獣医学」という専門分野もあります。生きものの死因を究明したり、死んだ生きものを詳しく調べたりすることで、人間にとっても危険な病原体が広がっていることが判明したり、逆に人が危険な汚染物質を環境中に出していることが分かったりすることだってあります。

野生動物の死には、自然からの「貴重なメッセージ」という側面があります。すぐには分析が難しくても、保存できるものは保存しておくということだってあります。たとえば愛媛大学には、国内外のストランディングした海の生きものをはじめとした生物標本を、他のサンプルと一緒に集めて保管している「巨大冷凍庫」があります。そこから冷凍イルカを取り

出して調べることで、海の汚染の状況などを調べることもできるようになっています。ストランディングによって海から貴重なメッセージを受け取ったと考えれば、読まずに捨ててしまうのは、少し惜しい気もします。

◉ストランディングと私たちの暮らし

ただ、どうしてストランディングが起きるのかは、いまだ謎が多いとされています。淀川のクジラの調査にも参加していた、国立科学博物館(科博)の田島木綿子(ゆうこ)さんの著書『海獣学者、クジラを解剖する。』(山と溪谷社、2021年)によると、病気や感染症、潮の流れ、エサを追いかけることに夢中になって浅瀬に入り込んでしまった、など様々な原因が考えられ、いくつかが絡まり合っている場合もあるものの、本質的な謎は解けていないということです。

漁網に引っかかったり、船とぶつかったりといった、外からの力が直接の原因という場合でも、すでに病気で弱っていたところでそうしたトラブルに見舞われたのかもしれません。解剖したクジラのおなかの中からプラスチックのかけらが見つかることも多く、海の汚染も原因の1つとして疑われています。

どうしてストランディングが起きるのかが分かれば、「かわいそう」なクジラやイルカを減らすことができるかもしれません。あるいは海の異変に気付くことだってあるかもしれません。原因が分かれば、クジラやイルカにとってもすみやすい環境にできたり、私たちの暮らしに対する悪影響を避けられたりすることにつながります。それは海にも人にもよいことでしょう。ストランディングしてしまったクジラやイルカを調べることは、そのための歩みの1つです。研究に携わる人たちは、今後も標本を使って研究や、世の中の人にクジラについて知らせる活動をしていくそうです。

◉クジラが残してくれたもの

淀川のクジラは体全体を残すことはできませんでした。ただ、調査が全くできなかったわけではありませんでした。海に沈める前、クジラを載せた船の上で、専門家による調査をすることが許されました。佐久間さんによると、調査ができるかどうかも分からない段階から、田島さんをはじめとする、科博のクジラの専門家たちも駆けつけてくれたといいます。

科博の研究者たちと一緒に調査に参加した大阪市立自然史博物館の和田さんによると、調査は時間が短かったこともあり、最低限の内容でしたが、それでも年齢の推定につながる歯や、ＤＮＡ、筋肉の試料などを採取できました。

科博の研究者たちが、調査から１カ月後の２月下旬に発表した内容を見てみましょう。研究資料として、年齢を調べるために上あごの歯、博物館の標本用に下あごの歯、寄生虫について知るために表皮などにいた寄生虫、食べ物について知るために胃の中身、ＤＮＡを調べるために表皮と筋肉、環境汚染物質調査用に皮脂と筋肉を採取したことが記されています。

種はマッコウクジラで、上あごの骨の先っぽからしっぽまでの体長は１４６９センチ、頭の先っぽからしっぽまでの全長は１５９８センチ、体重は約38トン。体や歯の大きさや、生殖器の大きさなどから成熟したオスだと判断されました。

さらに、歯の断面につくられる年輪のような「成長層」を数えることで、クジラの年齢が46歳だったことが明らかになりました。これまでの研究でマッコウクジラは70～80年生きると分かっているので、このクジラが死んでしまった原因は寿命ではなさそうだということも突き止めることができました。残念ながら、どうして淀川河口に迷い込み死んでしまったのか、理由を言い切れるようなデータを得ることはできなかったそうですが、成熟度から考えると、すでに群れから独り立ちして単独行動をしていただろうと思われました。つまり、群れからはぐれてしまったわけではなさそうでした。マッコウクジラは深海2000メートルほどの場所のイカを食べているため、エサを深追いしてしまったという可能性も極めて低そうだと分かりました。

◉もしも見つけてしまったら

死んでしまったクジラはかわいそうですが、「かわいそうだなあ」と思うだけでなく、専門知識を持った人が調査をすることで、いろいろなことが分かりそうですね。少し話はそれますが、もし死んでしまったクジラを見つけた時に何かできることはないだろうかと考えた人のために、そんな時にできそうなことも、ちょっとだけ紹介しておきます。

ストランディングしたクジラ類の調査をしている日本鯨類研究所は2022年度、淀川のマッコウクジラも含めて北海道から九州まで、10頭の個体を調査しています。この調査の対象になるクジラの種は限られているので、実際には、これよりずっと多くのクジラやイルカが日本の海岸には漂着しているとみられます。

ストランディングしたクジラやイルカは、早く調べないと、腐って状態が悪くなってしまったり、嫌なにおいが漂ったり、流れ着いたところの自治体によって処分されてしまったりします。できるだけ早く調査に入れるように、地域によっては「ストランディングネットワーク」という組織があり、ストランディングしてしまったクジラやイルカが見つかると、ネットワークに入っている研究者や、博物館の学芸員などに連絡が行くようになっているそうです。

ネットワークの中には、ホームページの入力フォームやＬＩＮＥから、ストランディングの情報を通報できるようにしてくれている団体もあります。電話番号を公開してくれているところもあります。もしも浜辺に打ち上げられているイルカやクジラを見つけるようなことがあれば、地元の自治体に加えて、博物館やこうした専門機関に連絡することで、貴重な生態の解明や、海の異変の発見に貢献できるかもしれません。

◉海に帰すのが自然？

ところで、「クジラがかわいそう。海に帰したい」という気持ちについて、学芸員のみなさんはどう思うのかも聞いてみました。マッコウクジラは、そのままでは海底に沈んでいかないといわれています。淀川のクジラも浮いた体が船の邪魔をしないよう、重りをつけて沈める必要がありました。人が関わる以上、どうしても全く野生と同じようにというのは難しくなります。それでも、インターネット上などでは「海に帰してあげるのが自然」といった意見がみられました。

和田さんはこうした意見について、「あってしかるべきだ」と受け止めながら、こうも話しました。「マッコウクジラ、もっといえばクジラ全体について守りたいと思ったら、知らないといけない」。淀川で死んだクジラを「本人」という表現を使いながら、考えていることを説明してくれました。

どんな風に成長するのか、何歳くらいで子どもを残せるようになるのか、何歳まで生きるのか、死ぬ原因は――。「こうしたデータの蓄積が、クジラをどう守るかにつながる。「本人」はかわいそうなんですよ。でも、こういう機会を最大限に使って、死を生かす道が、研究するということだと思っています」

佐久間さんは、人間でも、同じような病気の人を救うために、病気などで亡くなった人の遺体を医師が調べることがあることを例に出して説明してくれました。「人のご遺体を調べる場合でもそうですが、生きものについても標本にすること、調べることが、死を悼んでいないということにはならない。死に対して真摯に向き合うことが供養であると思います」

どうして死んでしまったのか、次にそういったことが起きないようにする方法はあるのか。生きものの死を真正面から誠実に受け止めて、いつか人類がこうした疑問に答えられるようになるよう努めることが、研究者としてその生きものを大切にするということ。そのために死んでしまった生きものの体を調べることは、生きものをないがしろに扱うこととは違うのだと記者は受け取りました。

淀川のマッコウクジラの調査結果はインターネットを使えば見ることができます。科博のホームページで公開されていて、Ｑ＆Ａの形式で、写真も入れて日本語で分かりやすく説明をしています。限られた情報ではありますが、今からでもクジラの死に対して関心を持って真摯に向き合うことは、誰にでもできるようになっています。

◉標本になるマッコウクジラ

淀川近くのクジラのことがあってからおよそ1年経った頃、また大阪湾でマッコウクジラが見つかりました。クジラは約1カ月にわたって湾内を泳いでいましたが、2024年2月、大阪府堺市の港で死んでいるのが確認されました。1年前と違ったのは、海に沈めるのではなく、土の中に埋めて、いずれ骨格標本として市博に提供されることになったことです。クジラは堺市の埋め立て地に運ばれ、埋められました。学芸員の皆さんも、埋める前の解体作業に参加しました。オスのマッコウクジラで、全長約15メートル、重さは約32トンでした。

和田さんは標本ができたら、まずは、大阪湾にもクジラが来るんだと直接示せる資料になるだろうと教えてくれました。大阪湾は大都会に接し、水が汚れているイメージがあるかもしれないけれど、「広い太平洋にもつながっていると知って、世界に目を向けるきっかけにしてほしい」と話してくれました。

実際に掘り出して骨格標本にできるのは2年ほど後。加えて、もし、ばらばらになっている骨を組み立てたいと思ったら、さらに時間やお金がかかります。ただ、どんな形になるにせよ、目の前で標本を見たら、陸上の動物にはない大きさや、他の種やメスのクジラとの違いなど、文字や画像、映像だけでは分からないような情報も、色々と得ることができそうです。

◉ちょっと地味でとても大事な研究

大阪湾に迷い込んだクジラは大きなニュースになりました。生きもの関係の話題で印象に残るものといえば、他にどんなものが浮かぶでしょうか。「新種の○○を発見」とか、第1章で取り上げたような「クマが人里に出没」とか、そんな話題だったら、インターネットやテレビ、新聞でも取り上げられて、大きな話題になることもありそうです。

では、「研究室で養殖したエサを使った、絶滅危惧ゲンゴロウ2種の幼虫の飼育方法」だとどうでしょう。この話は、アメリカ甲虫学会という学会が出している論文誌に2021年の10月に掲載された研究成果です。そんなに派手さはないですし、「ゲンゴロウの飼育方法」というタイトルからは、むしろちょっと地味だと感じる人もいそうです。

論文で研究成果を発表したのは、石川県ふれあい昆虫館で学芸員を務める渡部晃平さんたちのチームです。「ふれこん」の愛称でも知られるふれあい昆虫館は、国内外の希少な水生昆虫の「域外保全」に熱心なことで知られています。域外保全とは、ある生きものを、野外の生息・生育場所ではない、施設などで保護して飼育・栽培、繁殖させる取り組みのことです。生態を詳しく解明してよりよい保全につなげたり、もといた環境を再生させた後で増やした個体を戻したりできます。万が一野外で絶滅してしまった時の保険の役割も果たせます。

ふれこんでは2019年から、ヨーロッパ北部原産で現存する世界最大のゲンゴロウ、オウサマゲンゴロウモドキの域外保全にも挑戦しました。そして、施設で生まれた親から世代をつなぐ累代飼育にも成功して、大きなニュースになりました。他にもふれこんの話題は、地元ではよくニュースに取り上げられています。ただ、「研究室で養殖した〜」という今回の研究成果への取材は、記者(小坪)が発表からしばらくして申し込んだ時点で、まだ2社。いつもより反響は小さかったそうです。ですが、この研究、そしてここからさらに発展した研究には、とても大きな意味がありました。

◉コオロギでゲンゴロウを育てる

成果の主な内容はシンプルで、分かりやすいものでした。ふれこんの飼育室で養殖したフタホシコオロギというコオロギだけをエサにして、ゲンゴロウ（ナミゲンゴロウ）と、マルコガタノゲンゴロウという2種の幼虫を育ててみたという内容です（**写真3-2**）。フタホシコオロギは何でもよく食べて、どんどん増えるため、生きたエサしか食べないペット用のエサとしていろいろな場面で活用されています。一方で、ゲンゴロウとマルコガタノゲンゴロウはどちらも絶滅危惧種です。

写真3-2 フタホシコオロギを食べているゲンゴロウの幼虫＝石川県ふれあい昆虫館提供

さて、ゲンゴロウとマルコガタノゲンゴロウを25匹ずつ育ててみると、どちらも幼虫の間の生存率は92％にのぼりました。ほとんどの個体が生き残ったということです。ゲンゴロウは飼育設備内が蒸れてしまったことで最後に成虫になる際に生存率が68％に下がりましたが、マルコガタノゲンゴロウは生き残った全ての幼虫が無事に羽化しました。しかも、成虫の大きさはどちらの種でも、野外で見られるものと同じくらい立派に育っていました。

つまり、簡単に増やせてペットのエサにもなっているコオロギを与えることで、絶滅の恐れのあるゲンゴロウやマルコガタノゲンゴロウを、施設でも、野外と同じくらいのサイズにまで育てることができるということが分かりました。

各地ですみかが失われたり、アメリカザリガニが侵入してきたりしたことなどで、多くの水生昆虫が数を減らしていることが報告されています。地域によっては、昔はいたのに姿を消してしまった種もいるほどです。渡部さんはこの成果を「域外保全に取り組む人には重宝される技術だと思います」と話します。確かに、日々一生懸命に世話をしている飼育係の人にとっては、この方法を使うことで野外にエサを採りに行くような負担を軽くできそうな研究です。

●他のゲンゴロウでもさらに実験

この研究はさらに発展していきます。渡部さんたちは2023年、今度は極めて絶滅の恐れが高い水生昆虫のシャープゲンゴロウモドキについても、簡単に手に入れられる生きものをエサにして育てられないか調べてみました。

シャープゲンゴロウモドキは体長約3センチの大型のゲンゴロウです。「モドキ」と付いていますが、れっきとしたゲンゴロウの仲間です。環境省のレッドリストで絶滅危惧種とされていて、国内では千葉県や石川県、福井県などのごく限られた地域にすんでいます。シャープという名前を聞くと、なんだかスラッとしたイメージがありますが、これはデイヴィッド・シャープさんという昆虫学者にちなんで命名されたもので、実際のシャープゲンゴロウモドキは、丸っこくて愛嬌（あいきょう）のあるゲンゴロウです。

今回は、シャープゲンゴロウモドキの幼虫が小さい間はミズムシという小さなフナムシの仲間をエサにして、少し大きくなってからはキンギョやコオロギを与えて育てました。いずれも各地の水族館や昆虫館などでもエサとして使われている生きものです。

そして、成虫になるまでの過程で、シャープゲンゴロウモドキが野外で食べているエサを与えた場合と比べて、成長する早さや生存率、成虫の大きさを調べました。その結果、キンギョやコオロギ、ミズムシを使った手法でも、野外で食べているのと同じエサを与えた場合と目立った差はなく、ちゃんと育つことを突き止めたのです。

◉コオロギやキンギョならエサにしてもいいの？

ところで、もしかすると、野外にエサを採りに行かなくてもよくなるのは、飼育をする人にとってはいいことかもしれないけど、エサとして与えられるコオロギやキンギョはちょっとかわいそうだと思う人はいるかもしれません。最近では人の食事でも、植物を原料にした肉(代替肉(だいたいにく))などもありますし、こういうものを使った方がいいのではないかというアイデアが浮かぶ人もいるかもしれません。

渡部さんは「そういう声を聞いたことはまだありません」とした上で、「コオロギをゲンゴロウにあげる前にはピンセットで挟んでつぶす必要があります。そういう時に嫌な気持ち、悲しい気持ちにならないわけではありません」と話します。ただ、渡部さんが丁寧に説明してくれたのは、「今はこの方法がベスト」ということでした。ゲンゴロウたちを育てるには今のところ生きたエサが不可欠です。その中でいろいろな方法を比べて、よくよく考えた上で、コオロギなどを使っていくことが、現在は一番望ましいだろうということでした。

渡部さんは「この先、もしかしたらゲンゴロウを育てられる人工飼料(じんこうしりょう)が開発される可能性だってあるかもしれません。行動力のある人が研究開発にトライしてみてくれたらうれしいです」と話していました。

ただ、もしゲンゴロウもすくすく育つ人工飼料が開発されたとしても、それで問題解決というわけではありません。それを使ったり、作ったりしたいのであれば、お金や作り手が必要になります。コオロギなどを与えるのと同じくらいには育つけれども、コオロギを育てるのと比べてずっと高くついたり、作るのにものすごい人手が必要になったりするのであれば、それを使い続けることは難しいかもしれません。絶滅の恐れのあるゲンゴロウをなんとかして守っていくというのは大事な取り組みですが、お金をいくらでも使えるというわけではないし、いくらでも人手をかけられるわけでもありません。

実際、シャープゲンゴロウモドキではコオロギに加えてキンギョでも試して、ちゃんと育つことは分かったものの、キンギョはうろこの処理に手間がかかり、購入の費用も少し高くつきます。ミズムシは簡単に増やせるそうですが、シャープゲンゴロウモドキの幼虫が成長してくるとものすごい量が必要になる上に、飼育ケースの隙間からどんどん脱走してしまうため、取り扱いが大変になるそうです。

こうしたことから、渡部さんたちは、手軽に増やせるコオロギが一番いいのではないかと論文には書いています。調べてみると、コオロギの小さな幼虫を使えば、シャープゲンゴロウモドキの幼虫を、小さい頃からコオロギだけで育てられることも確認できたそうです（**写真3-3**）。エサとして使われるコオロギを少しかわいそうに思う人はいるでしょうし、コオロギとお金の節約を比べるということは、ちょっと冷たく感じられるかもしれません。ですが、限られたお金を上手にやりくりし、少ない人数でなるべく大きな成果を出していくという点も、保全活動を続けていく上での大事なポイントなのです。

◉コオロギが必要なもう1つのポイント

コオロギやキンギョを使ってゲンゴロウを育てる技術には、①ゲンゴロウがちゃんと育ってくれる、②飼育に関わる人たちの負担が減らせる、③限られたお金を大事に使える、といったメリットがありました。これらもとても大事なことですが、渡部さんはもっと広い視野で見ても、きっと意義のある取り組みだと考えています。

ゲンゴロウ、マルコガタノゲンゴロウ、シャープゲンゴロウモドキは、いずれも肉食です。ゲンゴロウの幼虫は水生昆虫、成長するとオタマジャクシや魚も食べるとされています。マルコガタノゲンゴロウは水生昆虫やエビなどがエサです。シャープゲンゴロウモドキはヤマアカガエルというカエルのオタマジャクシを食べています。多くの幼虫を育てるにはたくさんのエサが必要になります。

渡部さんも以前は、在来種のカエルやヤゴ(トンボの幼虫)などをエサ用に集めていたそうです。そこには葛藤もありました。子どもの頃からずっと生きものが好きだった身として、取材に対して「カエルも好きな生きものですし、大きく育ったヤゴを消費するのは生態系に影響があるのでは、とつらかったです」と振り返りました。「もしもカエルが減ったら『昆虫館が捕っているせい』と言われないか」という不安もあったそうです。

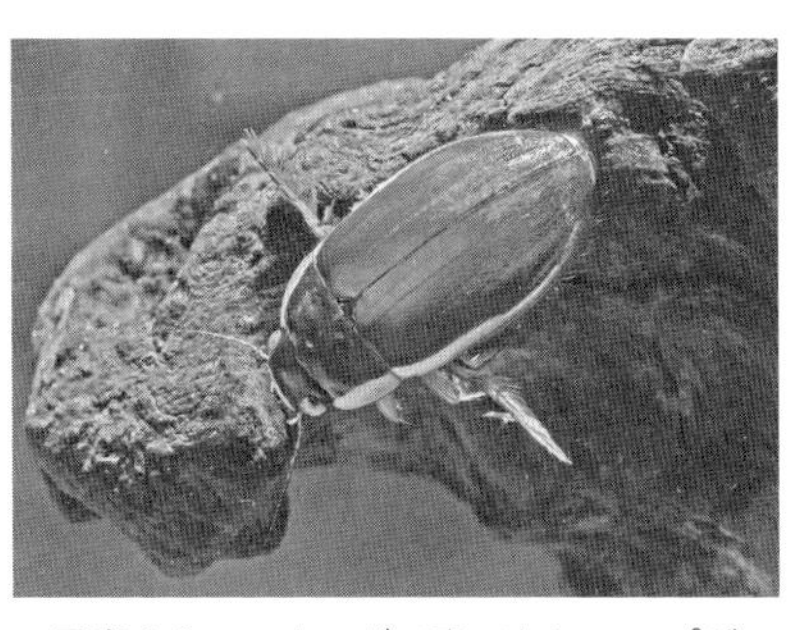

写真 3-3 コオロギで育てたシャープゲンゴロウモドキのオス=石川県ふれあい昆虫館提供

シャープゲンゴロウモドキの研究では、比較のためにヤマアカガエルのオタマジャクシを与えてみるグループも作りました。1匹が成虫になるまでにオタマジャクシを80〜101匹も食べたそうです。別の研究では、野外で成虫になるまでに300匹が必要と見積もったものもあります。ヤマアカガエルは絶滅危惧種などではないものの、環境省が続けている全国的な生物調査で、減少しつつあることが分かっています。シャープゲンゴロウモドキを増やすためとはいえ、野外からヤマアカガエルを大量に捕まえてきて与えていいのかということは、シャープゲンゴロウモドキの域外保全でも問題として感じていたそうです。

コオロギやキンギョを使えば、飼育を担当する人への負担だけでなく、こうした自然への負担を軽くすることができます。

◉ゲンゴロウの飼育から見えるSDGs

2つの研究成果を発表した論文の間には、ちょっとした違いもあります。最初のゲンゴロウとマルコガタノゲンゴロウの論文では、コオロギを使った飼育方法を「野外の天然資源に影響を与えない」と表現しましたが、シャープゲンゴロウモドキの論文では、「シャープゲンゴロウモドキとヤマアカガエル両種の保全に貢献する」と書きました。論文の表現なので少し難しいかもしれませんが、「影響を与えない」よりも「保全に貢献する」の方が、前向きな響きが感じられます。

　渡部さんに理由を聞いてみると、最初の論文でも「ゲンゴロウとカエルの保全に貢献する」ということを書きたかったそうです。ただ、ゲンゴロウやマルコガタノゲンゴロウの野外でのエサについては詳しいことが分かっておらず、どんな生きものの保全に役立つのか、言い切ることは難しかったため見送ったそうです。シャープゲンゴロウモドキは、ヤマアカガエルのオタマジャクシを食べることがはっきりしていたため、自信を持って「シャープゲンゴロウモドキとヤマアカガエル両種の保全に貢献する」と書いたのだということでした。「ようやく思いのたけを書き切れて、スッキリした感じです」と語ってくれました。

　シャープゲンゴロウモドキの論文では、タイトルにも「持続可能な保全にむけて」と書いてあります。「持続可能」とは、今やっていることを将来も続けたり、使っているものがこれから先も同じように使っていけたりできるということです。

　たとえば、たくさんの魚を捕りすぎてしまって数が激減してしまえば、それは持続可能な漁業ではありません。持続可能であることをサステナブルであるとか、サステナビリティと言うこともあります。SDGs(エスディージーズ)(国連の「持続可能な開発目標」)という言葉は多くの人が耳にしたことがあると思いますが、この「S」はサステナブルの頭文字なのです。世界が今めざしているのが持続可能な社会なのです。これは、地球という限られた場所で、限られた恵みをどうやってこれから先も上手に使っていけるのかという問いだとも言えます。

スケールは違いますが、お金や人が限られた中でやりくりを一生懸命考えた、ふれあい昆虫館の取り組みと似ていますね。絶滅の恐れのある生きものの域外保全でも、関わっている人が過労で倒れてしまったり、重い心労を抱えながら働いたりしていては、飼育を続けることはできません。高すぎるエサを買い続ければ組織が破産してしまうかもしれませんし、野外の生きものを大量に捕ってきて与え続ければ、エサにしていた生きものが減ったり絶滅したりするかもしれません。それをどうしたらいいのか、考えた先がコオロギによる飼育方法の開発でした。

エサになるコオロギは気の毒かもしれませんし、そういう気持ちを持つ人がいても別におかしなことではありません。生きものの飼育では、いろいろな矛盾にぶつかることや、様々な意見や考えにもっともな部分があるということもよくあります。ただ、飼育に関わる人の心身の負担を減らして、お財布にもやさしめで、自然に悪影響も及ぼさないというふれあい昆虫館の飼育方法は、持続可能性という問いへの1つの答えだと言っていいかもしれません。

◉もう増やせない生きものもいる

動物園や水族館、植物園などで野生生物を保護して増やす域外保全は、とても大事な取り組みです。特に、著しく数が減っている生きものの場合は、域外保全が生き残りをかけた「最後の砦」となっている場合もあります。そうやって守っている間に、なんとか生息・生育できる場所を作ったり、再生させたりして、数を増やした生きものを再び、もともとすんでいた地域の自然の中に戻してあげられる日を多くの人が願っています。

シャープゲンゴロウモドキでは、域外保全が続けられている一方で、千葉県は計画を立てて、生息地の再生や、天敵となるアメリカザリガニの駆除などに取り組んだ上で、域外保全で大事に増やしてきた個体を野外に戻してあげることも始めています。最終的な目標は、「千葉県のレッドリストから外すこと」です。シャープゲンゴロウモドキが絶滅危惧種ではなくなる日をめざして、県や地元の人たち、水族館などが力を合わせて頑張っています。

写真 3-4　今では世界に２頭だけしか残っていないキタシロサイ

ただ、大事に守っていても、もう増やすことがほぼ不可能になってしまった生きものもいます。アフリカのケニアには、世界で最後の2頭になってしまったキタシロサイというサイがいます(**写真3-4**)。しかもこの2頭は母と娘。今後2頭の間に子どもが産まれることはありません。キタシロサイの寿命は長ければ40～50歳と考えられています。大事に保護していれば、あと数十年はキタシロサイが「絶滅」することはありませんが、増えることもありません。

では、増えることはないから守らなくてもいいのでしょうか？　キタシロサイを絶滅の淵に追いやった大きな原因の1つが、角を狙った人間による密猟です。角は漢方などの伝統薬の材料として取引されていました。うまく言えませんが、キタシロサイを最後まで見ていく責任が私たちにはあるような気もします。あるいは、何か今からでもキタシロサイを救ってあげる方法があるなら、試してみる価値があるようにも思います。

◉絶滅種を「復活」させたらダメなのか

そんな考えをさらに進めたり、そのための技術開発に取り組んだりしている人もいます。「脱絶滅」などと呼ばれる取り組みです。ごくごく簡単に言えば、すでに絶滅した生きものを、遺伝子技術などを駆使して復活させようということです。もしもこんな技術が実現すれば、キタシロサイが絶滅してもよみがえらせることができますし、日本でも絶滅したとされるニホンオオカミが日本の山や森を駆け回る日が再びくることだってあるのかもしれません。もしそういう技術があれば心強いような気もします。

でも、もしそうなったら、心のどこかで「じゃあ、絶滅しても安心だ」と思ってしまわないでしょうか？　絶滅という最悪の事態すらも「なかったこと」にしてしまう技術ができることで、かえって生きものを守ろうという気持ちが緩(ゆる)んでしまうようなことがないでしょうか？

他にもいくつか心配されていることがあります。１つは、そういう技術を開発したり、実際に試みたりするには、かなりのお金が必要だということです。そして、今まさに世界のあちこちに、絶滅の恐れのある生きものがいて、その生きものたちを守ろうと活動している人たちにとってもお金は必要なのに全然足りていないという現実があります。絶滅種を復活させる技術開発は必要だという人もいれば、それにお金を回すくらいなら、環境保全活動を支援した方が、生きものを絶滅させないためにはよほど効果が大きいという意見の人もいます。

さらに、ある種の生きものを少しだけよみがえらせても意味がないという人もいます。生きものは他の生きものや他の個体との関わりの中でくらしています。絶滅した生きものをたった1頭だけ復活させても、仲間もいなければ、安全にくらしていける環境もないかもしれません。それこそ最後のキタシロサイたちと同じような状況です。ある種を絶滅させて、復活させて、そしてまた絶滅させる……。そんなことをする必要があるのか、きっと疑問に思う人もいるでしょう。

◉「保護して増やせば」は簡単じゃない

脱絶滅をめぐる議論は、域外保全にも通じるものがあります。絶滅危惧種の話をすると、

「保護して増やせばいいんじゃないの」という意見を出す人がいます。あるいは「水族館や動物園にいるんだから大丈夫でしょう」と思う人がいるかもしれません。けれどそれは「絶滅しても脱絶滅の技術があるからいいんじゃないの」という意見と似た響きがないでしょうか。

また、お金の問題も同じです。「コオロギやキンギョの命を奪わなくても人工飼料で育てたらどうでしょう」という意見に対しては、その人工飼料を作ったり使ったりするのに必要なお金はどのくらいで、誰が出してくれるのかということも考える必要がありそうです。コオロギやキンギョを使うことで浮いたお金や資源を有効に活用して、適切なタイミングが来れば、野外に戻してあげられるような準備を整えたり、生態を解明したりする方が、域外保全として意味があると考えることもできるかもしれません。

そして、絶滅の恐れがある生きものだけを大事にしようとすれば、大きなひずみが生まれかねないことにも注意が必要です。シャープゲンゴロウモドキでいえば、たくさんの幼虫を育てることができたとしても、野外のヤマアカガエルを取り尽くしてしまったらどうでしょうか。いざ野外に帰してやろうとしてもエサがない状態では、生きていくことはできません。

特定の1種だけのことを考えるのではなく、なるべく自然に負荷をかけず、域外保全の先のことまで見据えた取り組みが大切なのです。そういう取り組みでなければ、関わる人たちにとっても、「何のためにやっているのか」が分からなくなってしまいます。

◉「いい仕事、してますね」

最初のゲンゴロウとマルコガタノゲンゴロウの論文を書いた時、こうした意義に気付いた人たちからは、ふれあい昆虫館の取り組みをたたえる声が相次いだそうです。論文を出す際にはまず、論文を書いた本人とは別の第三者に見せて、いろいろな意見をもらう査読という手続きがあります。論文を査読した人からは「とてもいい仕事(研究)ですね」というコメントが来たそうです。また、論文が公開されると「朝からいいものを読ませてもらった」などと、研究者からも高い評価が寄せられたといいます。

この方法を使って、ゲンゴロウたちをたくさん増やしたふれこんでは、2023年11月に、おそらく日本で初めてとなる「マルコガタノゲンゴロウとのふれあいイベント」を開きました。マルコガタノゲンゴロウは国内希少野生動植物種という、法律で触ることなどが原則として禁止された生きものです。ふれあいを通じて、マルコガタノゲンゴロウを大事に思う気持ちを持ってもらって、なぜ減ってしまったのかを考えたり、ふれこんも取り組む域外保全について深く知ったりするきっかけにしてもらうのが狙いでした。

国内希少野生動植物種には、一度は日本から絶滅したトキや、野外には1株しか自生していない東京都・小笠原諸島のムニンツツジなど、とても貴重な生きものがたくさん含まれています。ですが、マルコガタノゲンゴロウをきちんと増やせているふれこんの人たちが見守っているのなら、という条件で、環境省から許可が下りました。

イベントに参加した人の中から、保全活動に参加してくれる人が出てくるかもしれません。そんな人が増えれば、いつか日本の各地で、誰でもマルコガタノゲンゴロウを観察してふれあえる日も訪れるかもしれません。養殖コオロギで育てる技術も、そんな日に向けた歩みを後押ししてくれるのではないでしょうか。

第4章
生きものたちのつながり

熊本県阿蘇地方で春に行われる野焼き．草原に火を放つ

1頭の動物の命や1種類の生きものの駆除や保護にこだわりすぎると、考えが行き詰まってしまうことがあります。それに、全ての生きものは、1個体や1種だけでは生きていけず、必ず他の生きものと関わり合いながらくらしています。

この章では、1つの命、1つの種を前にした「かわいそう」という気持ちからは、少し引いた視点で保護や駆除などについて考えてみたいと思います。生きものたちの関わり合いやつながりが生み出すものに着目すると、どんな風景が見えてくるでしょうか。

◉「チョウの楽園」に火を放つ

記者(杉浦)が2022年から働く熊本県の東側、だいたい九州の真ん中あたりには、「阿蘇(あそ)」と呼ばれる地域が広がります。火山活動によって大きくくぼんだ「カルデラ」という地形が特徴です。カルデラの中央には阿蘇五岳(あそごがく)と呼ばれる山がそびえていて、その周りを外側の火口である外輪山(がいりんざん)がぐるりと取り囲んでいます。記者の職場からも車を使えば2時間弱で行くことができます。

この地域の特徴は、阿蘇五岳のふもとや外輪山に広がる草原です。夏の間、青々した草原で牛がのんびり草を食べる様子や、晩秋、一面のススキ野原が夕日を浴びてきらきら輝く光景は美しく、観光地として大人気です。最近では、海外からもたくさんの人が訪れています。

写真 4-1 ヒゴタイの花．ルリモンハナバチが訪れていた

珍しい植物も多く、春には黄色いチョウのような形をしたキスミレ、夏にはるり色の玉のようなヒゴタイ（**写真4-1**）、秋には白い5枚の花びらを持ったウメバチソウなどが草原を彩ります。

草原に生える植物は約600種といわれています。なかには、ヒゴタイや、薄紫の花が優美なハナシノブなど、阿蘇や国内の限られた地域でしか見られないものもあります。いろいろな植物があることで、それをエサや隠れ家にする動物も多くの種がみられます。昆虫類は特に豊富で、熊本にいるチョウの仲間の9割以上にあたる109種がすむなど「チョウの楽園」といわれているそうです。他にも、ススキを編むようにして巣をつくるカヤネズミは草原を象徴するような種です。

「阿蘇地域に春の訪れを告げる野焼きが本格化しています」

熊本では、毎年3月ごろになるとテレビでこんなナレーションとともに、見渡す限りの山肌をオレンジ色の炎がなめるように動いていく映像が流れます。炎が走ったあとは植物などが燃やされて、一面の真っ黒な焼け野原が残されます(**本章扉の写真**)。

貴重な動植物がたくさんすむ山に火を放つ? 山火事にならないの? 野焼きについて知らなければ、そんな風に心配になってしまうかもしれません。「環境破壊じゃないのかな」と感じる人もいるかもしれません。でも、これはずっと昔からこの地域の人たちが続けてきた取り組みです。毎年わざわざ火をつけて野を燃やしてきたのです。

◉生きものにとっての草原

たくさんの生きものがすむ阿蘇。絶滅危惧種や、全国的には数が減ってしまった種がとても多いのも特徴です。

たとえば、秋の七草に数えられるフジバカマやキキョウなどは、国や地域の絶滅危惧種になっていますが、阿蘇では秋の七草にかなりの頻度で出会うことができます。もともと阿蘇だけにしかいなかったわけではなくて、古典や昔の絵にはよく登場します。フジバカマは『源氏物語』の中では登場人物が好意を伝える際にも登場します。かつては阿蘇だけでなく、全国の人里そばにもたくさんあったことがうかがえます。阿蘇は、「チョウの楽園」であるだけではなく、数を減らしている生きものたちの貴重なすみかになっています。

ですが、草原は全国的に減っています。そして、草原がなくなれば、生きてはいけなくなる生きものもいます。大正時代から歌われる童謡「故郷（ふるさと）」の歌い出し「うさぎ追いしかの山」のうさぎはおそらくノウサギですが、うっそうとした森より草原を好みます。「故郷」がつくられた時代、こうした自然が身近なものだったのでしょう。ノウサギも今では少しずつ数を減らしていることが知られています。

今、故郷を懐かしむ歌を書くとしても登場するのはウサギではないでしょうし、小説で好きな人に思いを伝えるシーンにフジバカマを使うのもなんだか変な感じがします。自然の変化は、その環境を好む生きものだけでなく、生きものの姿に美しさや懐かしさなどを感じる人の文化にも影響を及ぼすことが分かります。阿蘇は、そうした全国から人知れず姿を消したり、数を減らしたりしている生きものたちのすみかというだけでなく、そうした生きものや風景とともにある文化を伝える場所にもなっているといえるかもしれません。

◉阿蘇に広がる1000年の草原

貴重な生きものたちがたくさんいることは分かりましたが、草原は人にとっては文化以外にも意味があるのでしょうか。古文書によると、阿蘇には1000年も昔から、こうした草原があったとされています。

阿蘇の草原は「手つかずの自然」というわけではなく、ずっと昔から人々の手で手間暇をかけて「作られて」きました。その作業が野焼きです。まとまった草原としては日本で一番広く、熊本県の2021年の調査では、人々が放牧をしたり、牛や馬のエサとなる草を採ったりするのに使う草原「牧野（ぼくや）」の広さは大阪市とだいたい同じの約2万2000ヘクタールにもなるとされています（**写真4-2**）。

海外の写真で、阿蘇と同じように草原が広がっている光景を見たことがある人がいるかも

写真 4-2　阿蘇の中岳を望んで広がる草原．ハルリンドウが咲いていた

しれません。ただ、雨の多い日本では基本的に、草原を放っておいて草原のままであることはありません。身近な山は森に覆われていることが多いですが、人が手を入れないと、草原はやがて木が茂って森になっていくのが普通です。

みなさんの身近にある山を想像してみてください。たいがい、木がたくさん生えた森になっていて、阿蘇のような草原のところは少ないと思います。実際、今はだいたい日本の国土の3分の2くらいが森林に覆われています。それに対して、阿蘇にあるような草原は1％程度です。

でも、これはずっとそうだったのではなくて、日本にも、かつては草原がたくさんありました。森林や林業に関する研究を総合的に行っている国立の研究機関「森林総合研究所」などが草原の植物を遺伝子解析した研究では、ここ100年くらいで草原の90％以上がなくなったとされています。森林の広さがほとんど変わっていないのと対照的です。あまりに減ってしまったので、文化財などとして残っているかやぶき屋根でもふき替えのための材料が足りず、阿蘇のススキが京都で使われているほどです。

野焼きをしなくなった草原には数年で背丈の低い木が生え、やがて草原ではなくなっていきます。阿蘇地域には全国平均の2倍もの雨や雪が降り、それを草原が受け止めて豊かな地下水をはぐくんでいるといわれています。野焼きをせずに放置された場所では、土砂が流れ出しやすくなるともいわれていて、大雨の時などは災害も心配です。草原を保っていくことは生きものにとって大切、というよりは、もともとは私たちの暮らしのために草原が保たれてきたことが分かります。

◉青い星オオルリシジミ

ちなみに、野焼きをしている地域は阿蘇だけではありません。たとえば阿蘇から700キロ以上離れた、長野県安曇野市（あづみのし）では、野焼きがあるチョウの保護に役立っています。

そのチョウはオオルリシジミといいます。羽を広げると3～4センチ。山岳写真家で、チョウ研究者でもあった田淵行男(たぶちゆきお)さんが生前、「草原の青い星」とたたえたことでも知られています。安曇野市の天然記念物でもあり、実は日本では安曇野市などの長野県の一部と、阿蘇などの九州の一部にしかいないチョウです。

野焼きを行っているのは、オオルリシジミの「保護区」。このチョウがくらしやすい環境を保っていくための大事な場所です。野焼きによって、オオルリシジミの卵に寄生する天敵のハチが増えすぎて悪影響が出ないようにしています。草原も維持されるため、幼虫が食べるクララというマメの仲間の植物がたっぷり生えています。安曇野市はオオルリシジミを適切に保護していくための計画を作っていて、これからも大事に守っていくことにしています。

安曇野市の計画は「オオルリシジミはかわいいからどんどん増やそう」というようなものではありません。天然記念物にして守っていこうということになった際には、「どうしてオオルリシジミを保護するのか」「なぜオオルリシジミは保護されるのにふさわしい存在であると言えるのか」ということを、それまで保護に関わっていた人や研究者、市役所の職員さんや地元の人たちが一生懸命考えました。

写真 4-3　長野県安曇野市で，幼虫の食草のクララにとまるオオルリシジミ

行き着いたのは、オオルリシジミがいる場所にこそ価値があるのではないかということでした。このチョウが舞う安曇野市は、清らかなわき水が有名で、今でも長野県内では稲作が盛んな地域として知られています。

農業用の水路の土手や、田んぼのあぜはクララが生えるのによい環境になっていました。しかも、人々は以前からクララを大事に残しながら草刈りなどをしていました。トイレの殺虫剤などとしても活用するためです（オオルリシジミの幼虫はクララを食べても平気なので、おもしろいですね）。

人が手入れすることで、クララが生育し、成虫が蜜を吸う花など、多様な生きものがくらせる環境が保たれています（**写真4-3、カバー袖参照**）。そうした「安曇野らしさ」の象徴の1つがオオルリシジミであり、このチョウがこれからも輝いていける環境を大事にしていくことは、安曇野の人たちが安曇野らしさをこれから先も大事にしていくことに他なりませんでした。

◉野焼き、記者も挑戦

草原を維持していくことは、人の暮らしや文化、家畜たちだけではなく、そこにくらす野生生物にとっても大事です。つまり野焼きは環境破壊ではなく、人や家畜、今や少なくなってしまった草原にくらす野生生物みんなにとって大切な環境を維持していくための作業、山が森だけにならず、多様な生態系を保っていくための作業になっていたのです。

外来種の駆除作業とは違って、「かわいそう」というと少し変な感じがするし、そんなに大事な作業ならぜひやってみたい、という人がいるかもしれません。記者もそうでした。せっかく熊本に住んでいるのだし、草原に入って植物を見たいし、野焼きにだって関わってみたい。それに、新聞記者というのは興味を持つと何にでもすぐ首を突っ込むのです。野焼きのお手伝いをすることができると聞き、さっそく公益財団法人「阿蘇グリーンストック」の野焼き支援ボランティア(野ボラ)に手を挙げて、実際に体験してみました。

早春の野焼きに向けた準備は、まだ暑さの残る前年の秋から始まります。「輪地切り(わち)」と呼ばれる、防火帯をつくる作業です。野焼きをする際、早春の乾いた草原にいきなり火を放つと、どんどん燃え広がってしまいます。秋のうちに森と草原の境目などの草をベルトのように刈り、火がそれ以上外に広がらないようにするのです。昔は鎌を使っていたそうですが、今はエンジン式の草刈り機を使います。

初めての輪地切りは2022年9月、阿蘇市の「中荻(なかおぎ)の草(くさ)」牧野にお邪魔しました。牧野組合の5戸で、100ヘクタールほどを管理しているといいます。ぴんとこないので調べてみましたが、東京ディズニーランドとディズニーシーを合わせたくらいの面積です。傾斜が少なく、作業には「便利のいい方(やりやすい方)」と聞きましたが、記者の目にはそれなりに険しく見えます。実際、遠くから見るとなだらかに見える草原は実はかなりの勾配で、牧野によっては崖のようになっているところや、イノシシに掘られた穴があちこちにあります。

◉「東京から大阪まで」草刈り

まだまだ暑い中、そんな山の斜面を、阿蘇全体では500キロ以上にもわたって輪地切りします。新幹線で東京駅から新大阪駅までが550キロくらいですから、それに匹敵するくらいの長さです。草原の中には所々に森があり、木が燃えてしまわないように防火帯で守らなければなりません。あちこちに草原と森の境目が入り組んでいるので、こんな長さになるのです。「輪地焼き」といって、防火帯としての機能を強くするために、輪地切りで刈った草を野焼きより先に燃やす作業を追加ですることもあります。

さあ、草刈りへ。野ボラのリーダーや牧野の方から、道路沿いや隣の牧野との境界など刈り払う場所を説明され、みんなに続いて記者も草刈り機のエンジンをかけ……研修で習ったのですが、やり方を間違えてうまくかからず……助けてもらってなんとか動かすことができました(写真4-4)。

写真 4-4　初秋の青空が広がる牧野での輪地切りに挑戦する杉浦記者

草原では、野ボラの先輩たちが、緑に波打つ草むらに規則正しくエンジン音を響かせて、2メートル近いススキの茂みにもためらうことなく、するすると道を開いていきます。きれいな刈りあとを横目に、先輩の斜め後ろで草刈り機を左右に振りますが、刈った草が手前にしなだれかかってきたり、つるが機械に絡まったり。草の海でほとんどおぼれるように半歩ずつ進むものの、先輩たちの背中は遠くなるばかり。それでも、草原に咲くオミナエシやリンドウの花を間近に見られるのはうれしく、汗びっしょりになりながら3時間余りの作業を終えると、達成感もこみ上げました。この日牧野の方からねぎらいの言葉とともにいただいたソフトクリームの味は格別でした。

◉いざ野焼き、飛び出すウサギやシカ

輪地切りに続いて輪地焼きも終え、翌3月、ようやく念願の野焼きの機会がめぐってきました。ヘルメットにゴーグル、口元を覆うタオル。化学繊維の服は火がつきやすく危ないので、綿100%の作業着もネット通販でそろえ、完全防備で臨みます。作業前には「火から目を離さないで、自分の身は自分で守ること」と野ボラのリーダーから念を押されました。事前の講習では、過去に起きた野焼き中の事故についても話がありました。毎年やっていても、風の具合などによって炎は思わぬ動きをすることがあり、危険がゼロにはなりません。危ないと感じたら、指示を待たずに逃げることも大事と教わりました。

いざ、本番。防火帯の際から火をつけて歩く地元の方の後ろを、少し離れてついていきま

す。基本的に火をつけるのは地形をよく知る牧野の方。野ボラは、長さ3メートルほどで先端が少し開いた竹製の「火消し棒」を使い、防火帯の枯れ草などにはみ出してきた火をたたいて消すのが主な仕事です。

炎はあっという間に大きくなり、ススキが周りを巻き込みながら、溶けるようにススになっていきます。ぱちぱちといっていた炎はすぐに、土砂降りの雨がトタン屋根をたたくような音になりました。火から10メートルは離れているのにひたいや耳がじりりと痛み、手ぬぐいなどでちゃんと覆ったつもりだったのに隙間があったことに気づきます。ススキの茂みに隠れていたのか、シカやウサギが飛び出してくることもあります。

少し勢いが落ち着いてきたところで、足元の炎を火消し棒でバフバフとたたきます。場所によっては火の勢いが強く、秋に輪地切りをした時には広すぎではないかと思えた防火帯が頼もしく見えます。それでも、時には飛び火して防火帯を超えることもあります。「飛び火だ」と声が上がったら、斜面をダッシュして火が大きくなる前に消し止めます。グループに数人配置される、リュックサックのようになった消火水のうを持った人は、10キロほどの重さを担いだまま走ります。

周りが開けた牧野では、顔を上げるとオレンジ色の炎が山肌を帯のように駆け上がっていくのが見通せます。つながった隣の牧野も含め、見渡す限りの丘に炎が走り、黒色の陣地が瞬く間に枯れ草色を押し込んでいきます。この迫力満点の光景を間近で見られるのは野ボラの特権です。

野焼きの後、真っ黒になった野原には、緑のフキノトウが端をわずかに黒くして生き残っていました。野焼きといっても、森が燃える「山火事」とは違いますし、枯れて乾いた草はあっという間に燃えていくので、地上に出ているものは焼き尽くされてしまっても、土の中にある根っこやタネ、石の下にいる昆虫などは火や熱を避けることができます。

確かに地上の植物は燃えてしまいますが、再び芽吹いた植物たちが作り上げる草原が多くの生きものの命をつなぎます。ススキなどの背の高い植物が燃えてしまって、地面の中で冬の寒さを乗り越えていた植物や、タネで冬越ししていた植物にも太陽の光が届くようになります。1カ月もすれば、真っ黒だった地面はいろいろな緑に彩られていきます。

◉変わる草原の役割と担い手不足

美しい阿蘇の風景を守る野焼きですが、担い手不足に悩む牧野は少なくありません。阿蘇市の東役犬原（ひがしやくいんばる）牧野では、30ヘクタールを28戸で管理しているものの、高齢化などで年々参加できる人が減っているそうです。取材日に野焼きに参加したのは60～80代の7人でした。森下誠次組合長は苦笑いを浮かべながら「シカも、ウサギもイノシシも出る。おらんとは（いないのは）人間だけ」と話していました。

高齢化や後継者不足で、放牧を続ける牧野はだんだん減っています。東役犬原牧野でも、今は放牧をしていません。環境省の資料では、ここのところの約１００年で阿蘇地域の草原は半分以下に、直近の30年でも４分の１近く減ったとされています。さらに、アンケートに対して「今後10年以上野焼きや輪地切りができる」と答えた牧野組合がカバーできる草原の面積は今の約４割だということです。将来は半分以上の草原が、草原であり続けることが難しくなるということです。

草原が減っている背景には、生活の変化があります。牛を飼う農家は少なくなり、放牧やエサのための草を採る必要が薄くなりました。草は田畑の肥料にもたくさん使われていましたが、今は化学肥料も普及しています。ススキはかつて、冬場に刈り取ってかやぶき屋根の材料として使われていましたが、そうした家に住んでいる人は今やかなりの少数派でしょう。

「草原に火をつけちゃって大丈夫なの？」。そんな疑問がぱっと頭に浮かんでも、やっていること、その目的、そして「燃やされた草原」が守り、はぐくんでいるものを知ると、見え方がずいぶんと変わってくるようにも感じます。そして、やってみたらとてもやりがいのある作業でもありました。

輪地切りの合間に牧野の方に話をねだると、鎌でどれだけ早くたくさん草を刈ることができるか競争したこと、草原の中に草で立てた小屋で夜を明かし、連日作業に励んだこと、草原に連れて行った牛がうれしそうだったことなどを懐かしそうに話してくれます。美しい草原は、暮らしとともにあり、人々の暮らしの中から生まれていました。そして、チョウや野草といった野生生物たちだけでなく、牛や馬、人の命も、草原に支えられ、草原を通してつながっていました。ボランティアなどを通じて、今後もそうしたつながりが保たれていけばいいなと心から願っています。

◉6000種の命をはぐくむ場所「田んぼ」

人の営みによって命のつながりが保たれているのは、阿蘇のような山の大草原だけではありません。私たちが日々食べているお米を作る場所、つまり田んぼ(水田)やその水路、雨が降らない時に備えて水を蓄えるため池といったシステムの中でも、貴重な生きものたちがたくさん息づいています。

第３章で出てきたゲンゴロウたちもそんな生きものたちの１つです。水辺に生えたり、水面に浮かんだり、水中に漂ったりといった多様な水生植物たち。水がなくなった田んぼの土の中にひっそりと姿を隠していて、田んぼに水が張られるとまた生えてくるものがいます。昆虫をエサにするクモや鳥たちや、植物をすみか・隠れ家にする生きものもすんでいます。淡水魚やカエルの仲間は、１年のうちの限られた期間に、産卵や成長などのために田んぼを使います。

滋賀県にある県立琵琶湖博物館は、田んぼやその周辺にすむ生きものをまとめた「田んぼの生きもの全種データベース」という資料を公開しています。２０２３年現在、６３００種を超える生きものが掲載されています。研究者によると、田んぼの生きものたちの中には、全然調査が進んでいないグループがあるそうで、実際はこれよりもずっと多くの生きものがすんでいることは間違いないようです。書いただけではその多様さはちょっと伝わらないかもしれません。

でも、草原や森、自然の川などに比べると、田んぼやため池はずいぶんと人工的な環境に見えます。どうしてそんなに豊かな生きものたちをはぐくむことができるのでしょうか?

◉人がもたらす多様な環境とリズム

田んぼやその周りで個性豊かな生きものたちがはぐくまれている秘密については、まだ研究が続けられている途中ですが、日本の気候や、田んぼという場所の

写真 4-5 佐賀県多久市の田んぼの脇のクリーク(水路)で二枚貝の調査をする九州大学の研究者ら

持つ特徴がとても重要なのではないかと考えられています。

日本の多くの場所は、季節によって吹く風「モンスーン」の強い影響を受ける気候になっています。夏に湿った風が吹いてきて雨が多く、冬には乾燥しやすくなっています。季節に

よって雨が多かったり少なかったりすることで、１年の間に川が増水したり、あふれたりしやすい時期とそうでない時期があります。そのことによって、季節によっては川の周りは、あふれた水が作る一時的な水たまりや池などができやすい場所だったのです。

大昔人間が日本に入ってきて、その後やがて農耕が始まると、そういう場所は徐々に農地になっていきました。それでも、暖かい季節になると、田んぼには水がためられて、浅い水たまりのようになり、秋から冬には水が落とされました。同じように、雨が降っている間にため池に水をためておくこともやりました。こうしたため池では、時々池の水を抜いて、空っぽにし、次の年もちゃんと水がためられるか点検し、ひび割れを直したり、たまった泥を取り除いたりして維持管理もやりました。つまり、自然現象と人の営みという違いはあるものの、田んぼはもともと日本に多く見られた水たまりや池などとよく似た特徴があると考えることができます。

そのため、田んぼにすんでいる生きものたちの中には、もともとの日本によく見られた一時的な水たまりや、池などの代わりに、今の田んぼやため池を利用しながらくらしているものが少なくなさそうだと考えられています。人が使い続けることで、田んぼやその周りの環境が、多くの生きものがくらしていけるリズムを刻んでいるともいえるかもしれません。

◉それぞれの田んぼにも個性

もう少し詳しく見ていくと、ひと口に田んぼといっても、その周辺のため池や水路まで含めると、水深や水温、水の流れなどが少しずつ違う、変化に富んだ環境がその中にあることに気付きます。先ほどリズムといったように、季節による環境の変化もあります。田んぼを営むことがこうした多様なまとまり、つまり生物多様性において重要な生態系の多様性を保つことにつながっています。

しかも、その田んぼというシステムは、日本のいろいろな場所に広がっています。平地はもちろん、山間の棚田（たなだ）や、谷間の谷津田（やつだ）。そして、北は北海道から南は沖縄県まで稲作が行われています。地域が変わったり、時期が変わったりすれば、すんでいる生きものたちも変わります。場所によって、タイミングによって、違う田んぼには違う生きものたちのつながりがある。こうしたことも、6300種を超える生きものたちをはぐくみ続けている田んぼのすごさかもしれません。

ただ、田んぼは変わりつつあります。理由の１つは、農家の人たちの高齢化が進んでいることです。野焼きもそうでしたが、農業にはとても大変な作業が多く、担い手も不足しています。重労働を続けるお年寄りにとっては、少しでも負担は軽く、効率よくできた方がいいでしょう。それは当然のことです。

水を流しやすくしたり（排水しやすくしたり）、イネに付く害虫や、イネの邪魔をする雑草を駆除するための薬をまいたりすることは、そうした負担の軽減に役立ちます。ただ、こうしたことが、田んぼにすむ無害な生きものまで駆除してしまったり、田んぼや水路を魚たちがくらしにくい場所にしてしまったりする時もあることが知られるようになってきています。

一方で、たとえば新潟県佐渡市の「トキ米」や、兵庫県豊岡市の「コウノトリ米」、長崎県対馬市の「ツシマヤマネコ米」など、地域の生きものもくらせる環境を残しながら、稲作もうまく続けられるような工夫も少しずつ見られるようになってきています。

◉切り倒された村の花たち

では、生きもの同士のつながりや、周りの環境との関わり合いを大切にしようとする時、

写真4-6　鹿児島県宇検村の入り口にあたる「ハイビスカスロード」で咲くハイビスカス

どんなことを考えたらいいのでしょうか。鹿児島県の奄美大島（あまみおおしま）、その西部に位置する宇検村（うけんそん）という村の決断が1つのヒントを与えてくれます。

2021年の年末、記者(杉浦)はレンタカーで村の中心部に向かっていました。道路の両側に揺れていたのは、真っ赤な花。ハイビスカスです**(写真4-6)**。華やかな色と形がいかにも南の島らしいこの花は古くから島にあり、1986年には「村の花」になりました。村の民家の庭先に植えられていることもあれば、村の入り口にある看板、村内を走るトンネルのレリーフ、マンホールのふたにもデザインがあしらわれています。

村を訪れたのは、このハイビスカスのことが目的でした。ただし、咲いているハイビスカスではなく、もう咲いていないハイビスカスも見に来たのです。正確には、切り倒されたハイビスカスです。

ずっと愛されてきた村の象徴。それを、村の職員さんたちは、自らチェーンソーを手に切り倒しました。２０１９年の夏のことです。

きれいな花をどうして、と思うかもしれません。でも、村の人たちはたくさん考えた末、そうするのが一番いいと決めたのです。伐採よりもさらに2年ほど時間を巻き戻して、村の人たちの決断から今に至るまでの経緯について振り返ってみたいと思います。

◉34番目の国立公園誕生

伐採よりさらに2年前の２０１７年。3月7日に、国内で34番目の国立公園として、宇検村を含む「奄美群島国立公園」が生まれました。国立公園というのは、国が定めた、日本を代表するすばらしい自然の風景がある場所のことです。自然を守るために法律で開発を制限するほか、自然を楽しめるような工夫もしています。

奄美大島や徳之島などを含む奄美群島国立公園が34番目ということは、つまりその時点で国内には他に33カ所の国立公園がありました。「夏が来れば思い出す」の歌い出しで有名な楽曲「夏の思い出」の舞台で福島、新潟、群馬、栃木に広がる尾瀬（おぜ）や、タンチョウの生息地として知られる北海道の釧路湿原、山梨、静岡、長野の3県にまたがり美しい山々が連なる南アルプスなど、国立公園は全国各地にあります。

国立公園の中にはほとんど建物などないのかな、と思うかもしれませんが、日本の場合は、公園の中にもたくさんの人が住んでいて、ホテルなども建っています。国立公園の中でもどのくらい厳しく開発などを規制するのかのレベルで区域が分かれていて、特に貴重な自然があるので基本的には開発が許されないところもあれば、届け出をすれば建物をつくることができるところもあるのです。ですから、宇検村にはもちろん、国立公園になった今でもたくさんの人が暮らしています。

◉人類全体の宝物をめざして

奄美大島の場合は、当時、国立公園になるだけではなくて、さらに世界自然遺産への登録もめざしていました。世界自然遺産というのは、世界の国々が、「顕著(けんちょ)な普遍的価値」を持っていると認める自然のことです。顕著な普遍的価値とは簡単に言ってしまえば、「ものすごく大事だし、誰にとっても重要」といった意味です。

「○○が世界遺産に登録された」というようなニュースを読んだり見たりしたことがあるかもしれません。少し詳しく解説すると、1972年にあった、国連教育科学文化機関（ユネスコ）の総会という集まりで、世界遺産条約という条約ができました。2024年1月の時点では、この条約に参加している国は195カ国になります。この条約では、「ものすごく大事だし、誰にとっても重要」な自然や文化をリストに登録して、みんなで守ったり、守っていくために助け合ったりすることにしています。これが「世界遺産に登録された」ということです。

イギリスの自然科学者で、進化論で知られるダーウィン（1809～82年）も訪れたエクアドルのガラパゴス諸島、地球上で最大のサンゴ礁（しょう）であるオーストラリアのグレートバリアリーフ、世界初の国立公園として有名なアメリカのイエローストーン……。世界自然遺産には、多くの人があこがれるような場所がたくさんあります。日本でも、2017年までに北海道の知床（しれとこ）、東北の白神山地（しらかみさんち）、東京都の小笠原諸島、鹿児島県の屋久島（やくしま）の4カ所がすでに世界自然遺産になっていました。

奄美大島の人や国は、徳之島と、沖縄県の沖縄島北部（やんばる）、西表島（いりおもてじま）と一緒に、世界自然遺産への登録をめざしました。奄美大島の自然は日本だけではなく、世界の宝でもあると認めてもらって、多くの人と一緒に守っていこうとしていたのです。

世界自然遺産に登録されるには、生きものの専門家を含む調査チームによって、本当に世界自然遺産にするのにふさわしいのか評価してもらうことになっています。どんな生きものがいて、どのように管理しているのかなど、専門家の目でいろいろな角度からチェックしてもらいます。「人類みんなの宝物」にしてもよいのか、そのための調査が、登録の鍵を握っています。国立公園になってから約7カ月後の2017年10月に現地調査がありました。事件はそこから始まりました。

◉問題になったシンボル

専門家の1人が、調査の際にこんなことを問いかけました。

「なぜそこに外来種が生えているのですか」

専門家が問題にしたのは、奄美大島で一番高い山、湯湾岳(ゆわんだけ)(694メートル)の山頂につながる道路に生えていたハイビスカスについてです。赤やピンクの花をつける約800本が、約3キロの村道の両脇に並んでいました。

湯湾岳の一帯はシイなど、冬でも葉っぱを落とさない常緑の照葉樹がもこもこと生い茂る森になっています。世界中を探しても奄美大島にしかないカンアオイの仲間などの固有種や、珍しい生きものが多くすんでいます。山頂の近くは奄美大島の中でも最も開発規制が厳しい、国立公園の「特別保護地区」になっています。世界自然遺産に登録されるなら一番大事な場所になるところの1つでした。

ハイビスカスは、日本では外来種です。実はハイビスカスというのは種名ではなく、アオイ科のフヨウ属という、もうすこし大きなグループの名前です。属は見慣れない言葉かもしれませんが、ライオンとトラとヒョウは種は違うけれども、みんなヒョウ属という同じグループの仲間になっていることなどを考えるとイメージしやすいかもしれません。あるいは外来種の話で出てきた「ブラックバス」も、種名ではなく、オオクチバスやコクチバスといった種をまとめてそう呼んでいる名前です。

ハイビスカスの場合、そのグループの中でも、一般的には中国南部やインド原産とされるブッソウゲなどから作られた園芸用の花のイメージが定着しています。宇検村の道路に植えられていたのもまさにこのイメージの花でした。つまり、もともと日本にはいなかった植物です。正確に日本に入った時期を示す資料を見つけられなかったのですが、少なくとも江戸時代にはあったようです。

２０１７年当時、日本の政府は、奄美大島や他の島を、「生態系」「生物多様性」という評価基準で世界遺産に登録してもらおうと考えていました。世界自然遺産には、「顕著な普遍的価値」について、４つの評価基準があって、そのどれかを満たした上で、きちんと保護されていることなどが確認できて、初めて登録できると判断されます。

環境省が作った説明用の書類を見ると、奄美大島を含む４つの地域は、面積としては日本全体の０・５％もないのに、ここにしかいない生きもの（固有種）がたくさんいることが書いてあります。維管束植物（草や木やシダ）では１８８種、昆虫では１６０７種にも上るそうです。また、割合で見ると、陸にすむ哺乳類の62%、陸にすむ爬虫類は64%、両生類は86%が固有種で、陸にすむカニにいたっては１００％が固有種だといいます。

そうした固有種たちが、ここにしかない生きもののつながり（生態系）をつくっています。こうした種や生態系が失われると、地球上の他の場所では替えがききません。「地球上でここだけ」があふれる奄美大島の森。専門家の質問は、そうした重要な場所に、なぜ本来の植生とは違う外来種、庭木にもなっているハイビスカスが生えているのかというものでした。

環境省からのお願いと村の決断

専門家を派遣したのは、国際自然保護連合(IUCN)でした。第1章でも、レッドリストを作っている組織として出てきましたね。

調査のあと、IUCNは奄美大島を含む地域の世界自然遺産への登録は「先延ばしにしたほうがいい」と、登録を担うユネスコに伝えました。世界の宝だと認めるにはいろいろ課題があると判断したのです。これは完全に「不合格」というわけではないけれど、登録するかどうかの判断に大きな意味を持ちます。このまま無理に進んで「不合格」と判断されてしまえば挽回(ばんかい)が難しくなると考えて、日本は、世界自然遺産にしてほしいという申し出をいったん取り下げました。調査を通じて挙げられた課題の中には、外来種対策もありました。

日本は、世界自然遺産登録に向けて再チャレンジしようとしました。そのためには、もらった課題を解決しなければいけません。そこで、登録に向けて音頭を取っていた環境省は村に「ハイビスカスを切ってもらえないか」とお願いしたのです。

村の象徴にもなっている花を切ってほしいと言われた宇検村では、担当の職員だけでなく、村長、副村長、総務課長も集まって、話し合いました。それだけ重要な話だったのです。確かにハイビスカスは外来種です。でも、ずっと慣れ親しんできた村花でもあります。そもそも、村道沿いのハイビスカスは昔、村が植えたという歴史もありました。

「ないがしろにしていいのか」「村には伐採に反対する人もいるのでは」。村の人がどう思うかを考えて、いろいろな意見が出ました。それでも、冒頭で説明した通り、村の人たちは伐採を決めました。方針が決まってからはすぐに職員に声をかけ、3日後には決行するスピード感でした。切った後には、切り株からもう一度芽が出てこないように、切り口にドリルで穴を開けて除草剤を注入するほど徹底してやりました。切ったハイビスカスは、村の施設で細かく砕いて、堆肥(たいひ)にしました。

伐採後、ふたたびの調査で、奄美大島を含む地域は「生物多様性」の評価基準に適合するとして、2021年7月、世界自然遺産に登録されました。

◉切られなかったハイビスカス

ところで、記者は村の中心部に向かっていた時、道路の両側にハイビスカスが揺れていたと書きました。これはどういうことでしょう。

村の企画観光課の藤貴文課長補佐に実際に伐採した跡地を案内してもらうと、そこからは確かにハイビスカスの特徴的な赤い花は消えていました。けれど、そこからほんの数十歩、山すそ側に向かって歩くと、緑の葉っぱをつけたハイビスカスがありました。

「実は、ここが特別地域との境目なんです」

村が伐採を決めたのは、特別保護地区になっている山頂へとつながる道路の部分です。そのほかの部分、たとえば集落の中や、村の入り口近くのハイビスカスは、そのまま残してあります。取材時に記者を迎えてくれたのも、この残ったハイビスカスでした。

村の人たちが場所によってはハイビスカスを残す決断をしたのは、理由があります。植えられていたハイビスカスには、タネができなかったためです。植えられた場所から知らないうちにやたらめったら増えてしまう可能性は低いと考えて、世界自然遺産になった時に奄美大島らしい自然を守るために一番大切なところと、その周辺からは外来種として取り除こうと決めたのです。

だから、村花はハイビスカスのままにしていますし、街中に入れば、今も赤い花が揺れています。村の企画観光課の辰島月美課長は「入り口では引き続き、ハイビスカスの元気で華やかな南国のイメージでお客さんを迎える」と話してくれました。

◉決断が教えてくれたこと①

振り返ってみると、宇検村の決断は、2つの意味で考えさせられます。1つ目は、外来種との向き合い方と世界自然遺産としてふさわしい範囲の線引きです。

外来種の中には、もともとすんでいた生きものを食べたり、すみかを奪ったり、人に危害を加えたりして問題になっているものがいることはこれまでの章で説明してきました。専門的な言葉では「侵略的」などと表現することがあることも紹介しました。奄美大島にもこのあとの章で説明するマングースのように侵略性が高い外来種は入っており、それに対応することはもちろん、とても大切なことです。

では、全ての外来種がそうした性質を持っているかといえば、そうではないことも、みなさんはすでに知っています。

たとえば、おいしいお米をつくるイネは外来種です。社会や歴史の時間に、稲作は大陸からもたらされたと習った人もいるかもしれません。イネを栽培する場所が、日本にもともといた生きものにとって重要な場所になっていることも紹介した通りです。

イネだけでなく、私たちが食べるために栽培したり飼ったりしているものはほぼ全て外来種といっていいでしょう。ナスもカボチャも、もともと日本にはありませんでしたし、ニワトリは東南アジアなどにいた鳥がもとになっているといわれています。こうした生きものは基本的に人が管理するところにいて、そこからところかまわず逃げ出したりしません。

そういう意味では、宇検村のハイビスカスの侵略性もあまり高くないと言っていいと思います。植えられた場所から増えていかないのであれば、植えてもいい場所をきちんと考えることでことたります。家の庭や、人の目が届くような街中の道路脇なら、植えても問題は少なそうです。

世界遺産にふさわしい自然を守ることを優先するならば、伐採はやむを得ない。でも、そうでないところではあえて切ることもない。それが村の人たちが選んだ道でした。伐採こそしないものの、村では最近、植樹祭などで植えるのはハイビスカス以外の木を選んでいるそうです。ハイビスカスの寿命は数十年とされています。今ある木が枯れていけば、道を彩る木々たちは、だんだん減っていくことになります。

◉決断が教えてくれたこと②

2つ目は納得感の大切さです。村にとって、ハイビスカスはなじみ深い、大事な花でした。頭ごなしに「外来種だから切らなければいけない」と言われたら、悲しい気持ちになってしまったり、むっとしたりする人が出てくるかもしれません。でも、実際には伐採後も、村の人たちからも否定的な声は聞こえてこないということでした。

藤さんに当時の話を聞いてみると、意外なことに、世界自然遺産への登録申請を一度取り下げたことが結論を後押ししたのではないかと教えてくれました。

「自然遺産にふさわしい、本来の価値とはなんだろう、外来種のいない状態とは、と考える時間があったためかもしれない」。取り下げは残念だったけれど、再チャレンジまでに時間があったことで、奄美大島や、宇検村の自然の価値について考えを深める機会になったかもしれないということでした。村長などとの話し合いではたくさんの意見が出ましたが、最後には全員が納得して、ハイビスカスの伐採を決めたそうです。

藤さんは、村の人や観光客の意識も、国立公園になることや、世界自然遺産の登録に向けてがんばるなかで、変わってきたのではないかと思っていました。国立公園になるにあたって、村でもどのようにしたらすばらしい自然を守っていくことができるのか、ルールなどの考え方の説明がありました。村の人たちの間で、外来種問題や、ここにしかない自然の価値について話すことも増えたのです。地域の人たちが一生懸命考えたという点では、長野県安曇野市のオオルリシジミの話とも似ています。

◉生きもののつながり、人のつながり

この章では、1個体の命や1種類の生きものにぐっと寄るのではなく、生きもの同士の関わり合いやつながりについて見てきました。「かわいそう」という気持ちを考えたり、「どうしたらいいんだろう?」と問いかけたりするような、これまでの章とは少し違う感想を持った人もいると思います。

ただ、野焼きによって守られている草原やそこにすむ生きものたち、「そこだけにしかない奄美大島の自然」を保つためのハイビスカスの伐採について知ることで、生きもののつながりを守っていくという考え方にも触れることができたのではないかと思います。また、私たち人間にとっての恵みをもたらす、野焼きやお米作りという作業が、生きもののつながりを維持するのにも、とても役に立っていることも分かったのではないでしょうか。

生きものはいろんな場所にすんでいるし、他の生きものや、周りの環境と深くつながっていて、これから先も命をつないでいきます。こうした生きものの豊かな個性やそのつながり「生物多様性」は、私たちの暮らしになくてはならないものです。広い視野、長い目で守っていこうとすれば、誰か1人だけががんばっても、限界があるでしょう。むしろ多くの人に関わってもらった方が、上手に長く続けられそうです。

関わっている人や団体が、お互いに言葉を尽くして立場の違いを分かりあったり、おのおのができる役割分担をしたりすることを「パートナーシップ」といった言葉で説明することがあります。パートナーシップは生きものの問題に限らず、私たちの社会が抱える様々な問題の解決でとても重要だと考えられています。

「大事にしたい」とか「かわいそう」という気持ちを持つことは、生きものについての問題に関心を持つ最初の一歩になると思います。ただ、多くの人と協力して問題を解決していくには、自分の気持ちは大切にしながらも、「他の人はどう考えているのかな」とか「自分の第一印象とは違う事実はないのかな」という姿勢も大事です。ちょっと調べてみると、これまでとは少し違った「風景」が見えることは少なくありません。記者が野焼きを体験したように、現場に行ってみることもきっと新しいことに気付くきっかけになるでしょう。

そんなことを重ねていけば、もっと上手に話し合いができたり、自分にできることが分かったりするかもしれません。そして、もっと上手に生きものたちのつながりを守っていけるのではないでしょうか。

コラム　生物多様性とは？

　第2章や第4章で出てきた「**生物多様性**」という言葉を聞いたことはありますか？　ここ数年、耳にする機会が増えている言葉ですが、実はちゃんとした定義や、その意味などについてはそんなに知られていません。この言葉を少しだけ説明しておきます。

　生物多様性は、たくさんの種類の生きものがいるという**種**(しゅ)**の多様性**だけではありません。少し細かく見てみると、多くの生きものでは、同じ種の中にも地域、たとえば海を隔(へだ)てた別の島とか、山を隔てた川同士の間などで、様々な違いがあります。また、同じ地域の集まりの中でさえ、遺伝子レベルで全く同じ個体はほとんどいません。目には見えなくても違いがあるのです。こうした個性の違いを「**遺伝的多様性**」と言います。

　また反対に少し広い視野で眺めてみると、日本だけでなく、世界には暑いところや寒いところ、雨が多いところ少ないところ、森や山、海など、様々な気候や環境があり、そこにすむ生きものたちはその中で環境や他の生きものと関わり合いながら生きています。こうしたつながりを持ったまとまりを「**生態系**」と言います。

生物多様性とは、生きものたちの豊かな個性とそのつながりのことを指します。種数だけでなく、遺伝子レベルの個性の違いや、いろいろな生きものと環境が織りなす「**生態系の多様性**」も含めた言葉なのです。第4章で紹介した阿蘇（あそ）の野焼きはまさにこの「生態系の多様性」を保つための活動です。

◆経済も社会も文化も支えられている

こうした生物多様性から、私たちは様々な恵みを受けて暮らしています。経済活動だけで見ても、世界中で毎年生み出される「富（とみ）」の半分以上が、生物多様性に依存しているという報告があります。ちょっと考えてみても、魚を捕ったり木を切ったり、それを加工して製品を作ったりすることや、生きものたちがつくり上げた豊かな土壌（どじょう）を利用したり、昆虫などに作物の受粉を手伝ってもらったりする農業や、そこから始まる食料システムが思い浮かびます。病気を治療してくれる薬も多くの成分が生きものから見つかっています。生物多様性が失われると、多くの人のなりわいが成り立たなくなります。

ただ、こうした経済的な価値だけが生物多様性の恵みではありません。むしろ、私たちの暮らしのもっと深いところ、一番の基盤となるところこそ、生物多様性に支えられているといっていいでしょう。私たちが呼吸できるのは、植物や藻類(そうるい)が酸素を生み出してくれているからです。その酸素を生み出す森は、雨が降った時に、水の一部を蒸発させて空に戻したり、ふかふかの土に水を蓄えたりして、川が一気に増水するのを防いでくれます。ふかふかの土は水をじわじわ出すので、晴れの日が続いても川の水は涸(か)れません。

一方で、コンクリートやアスファルトで覆われた都市では、大雨が降ると、水が地面の上をさーっと流れてしまうので、短い時間に多すぎる水が流れ込んで下水道があふれてしまったり、川が一気に増水したりします。

とても暑い日や、異常気象などが毎年のようにニュースになっています。気候変動(地球温暖化)の影響が心配されています。こうした危機に立ち向かう上でも、生物多様性が私たちを助けてくれます。森や湿地といった生態系を再生することは、気候変動の原因になる二酸化炭素を吸収することにつながります。サンゴやマングローブ(暑い地域の河口など、淡水と海水が混ざり合う場所にある植物のこと)などを守ることは、台風などによる高潮などの災害を弱めたり、陸地が浸食されることを防いでくれたりします。最近では、クジラやゾウ、ラッコやバイソンなどの動物を保護することで、生態系の再生が進んで気候変動対策になるという研究結果もどんどん出されています。

様々な地域に様々な生きものがいることで、それらを衣食住に使った個性豊かな文化や伝統も生まれます。なかでも先住民族の人々などは、特に地域の生物多様性との強いつながりの中で暮らしてきました。こうした先住民族の人々などが管理する土地は、世界の4分の1程度ですが、地球の生物多様性の80％がそうした土地にあるといわれています。

と書いてみても、これらは生物多様性が私たちにもたらしてくれるもののほんの一部でしかありません。私たちの社会や経済、文化や伝統は、生物多様性によって支えられ、守られています。「人間のお金もうけの役に立つから守る」とか、「かわいそうな生きものを守ってあげる」という話ではなく、生物多様性がなくなれば、私たちの社会や経済、文化や伝統もなくなってしまう、つまり生きていけないということなのです。

◆生物多様性の危機は私たちの危機

しかし心配なことに、生物多様性は1970年以降の約半世紀で、約7割も失われたとも言われています。主な原因は、人間の活動です。熱帯林を伐採、焼き払って農地にしたり牧畜をしたりするような行為や、汚染物質の環境中への流出、密猟や乱獲、侵略的外来種(89ページ参照)、最近では気候変動も大きな脅威になっています。日本でも、ウナギやサンマをはじめとする魚が減っているというニュースを見たことがある人はいないでしょうか？　また、家の人や地域のお年寄りから、「昔はたくさんいたけど、今は見なくなってしまった」という生きものの話を聞いたことはないでしょうか？

環境問題の取材をしていると、時々「プラネットBはないよ」という言葉を聞きます。これは、ある計画がダメな時に使える代わりの計画を「プランB」と英語で呼ぶことに引っかけて「プラネット(惑星＝地球)の代わりはないんだよ」ということを表す言葉です。「自然は、人間を必要としない。人間には、自然が必要」というメッセージもあります。作ったのは、コンサベーション・インターナショナル(CI)という環境団体です。生きものたちが消えていくことは、悲しいというだけではなく、私たちの社会や経済、文化にとってなくてはならないものもどんどん消えていくということです。こうしたメッセージを読んでどんなことを感じますか？

ちょっと記者の個人的な思いになってしまいますが、生物多様性は、長い時間をかけて地球で生み出されてきた、とても大事なものだと思います。それを破壊し尽くした時に、代わりに私たちの社会や経済、文化を守ってくれるものは、存在しません。一方で、生きものは、適切なやり方で守っていけば増えていきます。生物多様性を回復させることは可能です。実際にうまくいっている現場だっていくつもあります。私たちにはできることがあるのです。

私たちには生物多様性が必要です。今までもこれからもずっと。

第5章 命に向き合う責任

マングースのわなを確認する奄美マングースバスターズの後藤義仁さん

ここまで、様々な現場やケースをもとに、生きものの命や、生きもの同士のつながりについて考えてきました。最終章となるこの章では、人によって本来の生息場所とは違う場所に連れてこられたマングースと、オオヒキガエルの駆除の現場、そしてそれに関わる人の思いを紹介します。生きものの命に対する人間の責任とともに、実際に携わる人のためらいや迷い、覚悟も感じてもらえたらと思います。

◉島の生きものを襲ったマングース

舞台は引き続き、鹿児島県の奄美大島（あまみおおしま）です。第4章で少し触れた通り、この島には外来種のマングースがすんでいます**（写真5-1）**。後ほど説明しますが、正確には、取材時点の2021年には「すんでいます」を、「すんでいました」と過去形にできるかどうかを調べている段階でした。

奄美大島に入ったのはフイリマングースです。もともと東南アジアやインド、中東などにすんでいる哺乳類です。大きさは鼻先からしっぽの先っぽまでで50〜60センチほど。ネコよりは2回りほど小柄です。奄美大島には1979年に、先に導入されていた沖縄から持ち込まれて放されました。毒ヘビのハブや、ハブのエサとして重要で農作物も食べるクマネズミを退治してほしいという理由からです。原産地ではコブラを襲っているイメージがあったのです。

写真 5-1 鹿児島県奄美大島で根絶が間近なマングース＝環境省提供

ふるさとを離れて日本にやってきたマングースの境遇は、この頃NHKの「みんなのうた」で流れていた田中星児さんの「悲しきマングース」という歌(前史郎作詞、中村和作曲)でも紹介されたほどです。

実際には、マングースはハブではなくて、島の人たちが飼っていたニワトリや、アマミノクロウサギやアマミイシカワガエルなどの奄美大島や周辺の島にしかいない貴重な生きものを襲いました。

理由の1つには、マングースが昼間に活動するのに対し、ハブや家にすみついたクマネズミは夜に動くため、そもそもあまり出会わない生き方をしていることが指摘されています。一方で、昼間は巣穴にいるアマミノクロウサギの子どもや、地面に巣をつくる鳥のアマミヤマシギは、ハブより食べるのが簡単だったということもあります。そうして、はじめは30頭ほどだったとされるマングースはどんどん増えて、2000年ごろには1万頭に達していたとみられています。

環境庁(現・環境省)は、奄美大島の生きものを守るため、2000年から本格的にマングースの駆除を始めました。はじめは猟師さんや島の人にお願いし、捕まえたらお礼のお金を渡すかたちで駆除を進めていましたが、山の中などは活動が大変で、捕まえきれないところもたくさんありました。こうした作業が難しい場所も含めて奄美大島からマングースを完全にいなくして、減ってしまった島の生きものを復活させようと、2005年からは捕獲を専門に担う「奄美マングースバスターズ」が活動を始めました。

この年は、マングースが法律で特定外来生物に指定された年でもありました。第2章のナガエツルノゲイトウ(ナガエ)の話でも出てきた通り、マングースはこの法律で指定された初めての生きものの1つです。奄美マングースバスターズは結成以来、いろんな種類のわなを使ったり、マングースのにおいを覚えて探す探索犬の助けを借りたりして、島のマングースをゼロにしようと努力を続けてきました。

◉「快挙」間近の駆除

2021年冬、記者(杉浦)はこの季節でも葉を落とさない奄美大島のうっそうとした森の中で、奄美マングースバスターズの後藤義仁さんに仕事の様子を見せてもらっていました**(本章扉の写真)**。ハイビスカスが咲いていた宇検村からは車で1時間ほどの場所です。後藤さんの傍らには、マングースの痕跡を見つけるのに欠かせない相棒、マングース探索犬のピピがいます。

「最近はマングースがいないので、冷凍保存した沖縄のマングースのフンを使って訓練しているんです」

後藤さんがフンのにおいをつけた細い竹を放ると、ピピはすかさず駆け寄り、後藤さんに竹の場所を教えてくれました。

奄美大島では、バスターズや関係者の活動が実を結んで、2018年に1頭がわなにかかって以来、マングースは見つかっていませんでした。この日後藤さんが確認したわなにも、エサが食べられた形跡なく残っていました。それでも、一時よりは減らしたとはいえ、山中にはまだ約2万個のわなをしかけ、後藤さんたちメンバーや探索犬が日々見回りを続けていました。

環境省の資料によると、結局、取材した次の年も含め、２０２４年5月まで6年以上、奄美大島ではマングースは見つかっていません。本当に、本当にいないのか、わなや自動撮影カメラ、探索犬のデータなどをもとに、完全に駆除された状態「根絶」と、科学的に判断してよいか、研究者の人たちが検討する段階に入っていました。判断するためには、こうしたデータをもとにどのくらいの確率でマングースの数が「ゼロ」と言っていいかを計算し、評価することになります。奄美大島では、このまま見つからなければ、２０２４年9月にも根絶宣言がなされるところまで来ました。

奄美大島の大きさは東京23区より少し大きいくらい。マングースはハワイなど、世界のあちこちで外来種として問題になっていますが、これほど大きな島で、いったん定着した後に根絶に成功した例はありません。実現すれば「世界初の快挙」です。

◉９割を捕まえてからが本番

５年も６年も見つかっていないのに、どうして人手とお金をかけて見回りを続けているの、と思うかもしれません。それに答えるには、一度大きく広がってしまった外来種をもとのように全くいない状態にするのがどういうことなのか、考えてみる必要があります。

ナガエの話でも説明しましたが、どんな外来種も、はじめからたくさんいるわけではありません。奄美大島のマングースでいえば、放されたのは30頭ほどでした。たくさん増える前に対応できるのが一番ですが、増えてしまったあと数を減らそうと思うと、はじめの方はどうしてもたくさん捕まえることになります。生きものが子どもなど次の世代を生み出してしまうため、増える分より多く捕まえなければ、数は減っていかないからです。マングースの場合、はじめは年に４０００頭ほども捕まえていました。

駆除が功を奏して、生きものが増えるより捕まえる数の方が多くなったら、その生きものはだんだん減っていきます。そうすると、今度は捕まえるのが難しくなって、同じくらいがんばっても、多かった時のようには捕まえられなくなってきます。

では、この時にあんまり捕まらないからといって、手を抜いてしまったらどうなるでしょうか？　もともとは少ない数から増えた生きものです。また同じように増えてしまうでしょう。そうしたら、再び減らすためにはまたたくさん捕まえなければいけなくなります。関わる人の努力が水の泡になるだけでなく、増えてしまった分だけ余計に、たくさんの命を奪わなければならなくなるのです。

実際に、マングースの駆除では、「非効率」だとしてバスターズの活動がストップしかけたことがありました。本格的な駆除が始まって10年あまり経ち、だんだんマングースの数が減ってきていた２０１２年のことです。その前の２０１１年度には、捕獲数は２７２頭になっていました。一番捕まえていた頃に比べれば、数の上では10分の１以下です。政治家の人たちは、捕まえる数が少ないのにお金をかけているのはもったいないので、活動を見直した方がいいと考えたのです。

でも、この考えには、研究者の人たちから反対の声が相次ぎました。日本哺乳類学会は、マングースをいなくするためには専門の捕獲チームのチームプレーがなくてはならないといった内容の要望書を出しました。何頭捕まえたという数だけでなく、どうやって数を減らしたのか、もともと島にいた生きものをどのくらい回復させたのかといった視点で評価するべきだと意見を出したのです。そのおかげもあってか、バスターズの活動は続けられることになりました。

マングースの駆除に使われたお金と、捕まえた数を照らし合わせてみると、実は数が減ってからが本番だということがよく分かります。環境省から資料をもらって、２０００年度以降の予算と、その年にどれだけの数を捕まえたかを調べてみました。

２０００〜２２年度の23年間の予算は合計33億４７００万円。その間に捕まえたマングースは約２万１０００頭にもなります。そのうち、だいたい９割が捕まったのは２００７年度でした。この時までに使ったお金は、全体の15％ほど。残りの85％分のお金は、その後に使われたことになります。さらに言うと、99％のマングースを捕まえた時でさえ、費やしたお金は全体の４割ほどで、残りの６割ほどは１％を捕まえ、さらにゼロを積み重ねるために使ってきました。

「外来種対策は、９割を捕まえてからが（対策全体の）９割とも言われる」と指摘する専門家もいます。一度増えてしまった外来種を完全にいなくするのは、本当に難しいのです。

◉「仕事をなくすための仕事」と言われても

関わる人たちはどんなことを考えながら駆除に携わってきたのでしょうか。

後藤さんは、バスターズに入った最初の頃「捕まえて殺す仕事なんてできるかな」と思っていたそうです。「もともとの生きものの多様性に富んだ奄美の森に戻したい一心でやってきた」と続けられた理由を教えてくれました。土砂降りの雨の中でも、猛毒を持つハブがいても、マングースを見つけるために山に入らなければいけない仕事です。「今思えば、よくやったと思う」と振り返ります。

バスターズは、元メンバーを入れると100人以上が関わってきました。はじめの頃は島外の出身者が多かったそうですが、だんだん地元の人が増えてきたといいます。生きもの好きの人がほとんどです。

マングースを駆除する仕事は、マングースがいなければなくなる仕事でもあります。後藤さんも、他の人から「仕事をなくすための仕事」と言われたことがあるそうです。受け取り方によっては皮肉に響く言葉ですが、後藤さんは「うれしいこと。お金を次の外来種対策に回すことができる」と肯定的にとらえていました。

ただ、だからこそ、マングースが本当にいない「根絶」だとするには慎重な判断が必要だとも感じているそうです。根絶確認に向けて環境省がつくっている計画には「ここで誤った判断をした場合、再増殖したマングースの個体群を消滅に至らしめるために必要な労力やコストは膨大なものとなる」と書いてあります。後藤さんは「これだけやっても根絶できず「ダメでした」となるのが一番つらい」と気持ちを表現してくれました。もし見逃しがあって、マングースがまた増えてしまったら、これまでの自分や仲間の努力が無駄になってしまいます。それは避けなければなりません。

◉泣きながらマングースを手にかけた

奄美大島のマングース駆除をはじめから知る人にも話を聞かせてもらいました。環境省奄美群島国立公園管理事務所（奄美野生生物保護センター）の阿部慎太郎所長。もともとは獣医師です。

阿部さんが初めて奄美大島を訪れたのは大学最後の夏休み、１９８７年のことでした。夜

写真 5-2　奄美大島と徳之島にだけすむアマミノクロウサギ

の林道を進むと次々に現れるアマミノクロウサギ（**写真5-2**）やアマミヤマシギなどの生きものに心を動かされました。翌年、大学を卒業し、奄美大島に移り住みました。

でも、そこから何年もしないうちに、森から島の生きものたちが姿を消していきました。阿部さんは仲間とＮＧＯ「奄美哺乳類研究会」を立ち上げて地元の人にも協力してもらい、何が起きているのかを調べ始めました。

仕事が終わった夜、ハブがいそうな草むらを棒でたたきながら、わなを仕掛けてまわりました。奄美大島のウサギやカエルといった生きものたちは、マングースがいる地域で、「きれいに」いなくなっているのが分かりました。解剖したマングースのおなかの中からは、昆虫の仲間とともに、そうした生きものたちも見つかりました。

調べた結果をみんなに知らせて、何とかしないといけないと訴えました。ただ、マングースの数や被害はあまりに広がりすぎていて、すでにNGOとして何とかできる状況ではありませんでした。阿部さんは環境庁に転職し、奄美野生生物保護センターには開所翌年の2001年に着任しました。自然保護官として、バスターズの立ち上げにも関わりました。

阿部さんはNGOの活動やその後の仕事の中で、何千頭ものマングースを手にかけたといいます。手にかけるとは「殺す」という意味です。もともとは動物の命を守るため、獣医師になったのに――。

「何頭かは、泣きながら殺しました。言い訳ですけど、今1頭殺すことが、この個体がこの先死ぬまでに食う命を救っていると自分を納得させて」

阿部さんは転職後、沖縄や本州でも働きましたが、2020年に再び奄美大島に戻ってきました。もし、奄美大島で働いている間に「根絶」が確認できたら、マングース対策の最初と最後に立ち会うことになります。

◉戻ってきた生きもの、変わってしまった生きもの

マングースの姿が消えていった一方で、奄美大島の森には、元からいた生きものたちの姿

写真 5-3 奄美大島の固有種で「日本一美しいカエル」とも呼ばれるアマミイシカワガエル

が戻ってきつつあります。たとえば2013年に東京大学などが発表した論文では、アマミノクロウサギに加えて、アマミイシカワガエル（**写真5-3、カバー袖参照**）、オットンガエル、アマミハナサキガエルという3種のカエルの数が、マングースが減ったのにともなって大幅に回復していることが分かりました。同じ年に発表された、国立環境研究所などのチームによる別の研究でも、奄美大島にもともとすんでいたケナガネズミ、アマミトゲネズミという2種のネズミの数が大幅に増えていることが判明しました。

一方で、数が回復したとされるアマミハナサキガエルに関する2019年の論文では、マングースの爪痕（つめあと）が今も残っていることが明らかにされました。森林総合研究所などによることの論文では、マングースが持ち込まれた地点に近く、強く影響を受けた地域のアマミハナサキガエルたちは、マングースの影響が弱かった地域と比べて、すぐに逃げ出す性質がある、いわば「怖がり」なカエルになっていることが分かりました。
マングースが持ち込まれてからの期間は数十年。調査が行われた時点では、すでにマングースはほぼ駆除されている状況でしたが、マングースの影響がカエルの数だけではなく、カエルの行動にまで及んでいて、今も続いていることを示す結果でもあるといえます。奄美大島の森の生きものたちが増えてきたからといって、生きものたちが以前の通りに戻ったというわけでもありません。個体数の回復だけで「生態系が元通りになった」とまではいえません。

一度壊してしまった自然を元通りにすることはとても難しくて大変な取り組みになります。時には自分の感情を押し殺してでも目の前の作業に当たらなければならないこともあります。それでも、うまくいくとは限りません。外来種の駆除や、もともとくらしている生きものの回復に向けて、懸命の努力が続けられているところは奄美大島だけではありません。国内や世界のあちこちにあります。

◉たくさんのマングースの命を奪ってきたからこそ

「マングースにしてみれば、たまったもんじゃないですよね。嫌々連れてこられて、そこで生きていただけ」。マングースの根絶に強い気持ちがある阿部さんですが、こんなことも話してくれました。それでも、こうも続けます。「エゴだけど、人の責任で連れてきたもの。人の責任で奄美からいなくしないといけない」

人間の勝手でふるさとから遠い日本に連れてこられて、今度は生態系への悪影響が大きいからと殺されてしまうのは、マングースの立場からすると不条理です。「かわいそう」と感じる人がいたって当然です。けれど、マングースに襲われる島の生きものたちもまた、人間の行為による被害者なのです。人が何もしないというわけにもいかない現実があります。

紹介したように、いろんな研究機関や、地元の人たちの調査で、マングースが去った森には、在来種が戻って来つつあることが分かってきています。バスターズには、「学校にアマミイシカワガエルが来ている」といった声や、中高年の人から「初めて直接アマミノクロウサギを見た」といった報告が届くようになりました。

これまでに奄美大島で捕まったマングースは3万2000頭以上になります。人の都合で連れてきた生きものを、人が根絶する――。「もう二度と、そんなことを繰り返してはいけない」。たくさんのマングースの命を奪ってきたからこそ、対策に関わってきた人たちは強く願っています。

◉ヒキガエルの駆除調査に参加した学生時代

この本も最後の話になりました。生きものと人の関わりやつながり、そして野生生物の命を前にした選択の現場に身を置く人たちを訪ねる旅はそろそろ終わりです。

いろいろな人の思いを紹介してきましたが、じゃあ、取材する記者は一体何を考えているのか、そもそもどうしてこうした現場や人々に取材をしたのか、そんな疑問を抱いてくれた人もいるかもしれません。せっかくなのでここからは、記者（矢田）の大学時代の話をしたいと思います。

大学では生物学の世界に飛び込みました。私は小学生の頃から魚や両生類、爬虫類（はちゅうるい）などの、生きものの図鑑（特に変温動物）を読むのが好きな子どもでした。雨の日はいつも下校の途中でカエルを捕まえて家に持って帰っていました。だから「生きものが好き」、そんな純粋な気持ちで、生物学の道を選んだのです。でも、生きもののことを学べば学ぶほど「好き」という気持ちだけではどうにもならないことがたくさんあるという現実を突きつけられました。

大学生の時に住んでいたのは沖縄本島です。1年生の夏、まだ沖縄にやってきて半年もたっていない頃でした。大学の先生に誘われて、外来種のオオヒキガエルの駆除調査に参加したことがありました。オオヒキガエルとは、中南米原産のヒキガエルの仲間で、過去には1キログラムに達する個体も見つかったことがあるほど大きなカエルです(**写真5-4**)。一度にたくさんの卵を産むことができるので、すみやすい環境だとあっという間に増えてしまいます。

写真5-4　特定外来生物に指定されているオオヒキガエル＝環境省提供

日本には畑の害虫を駆除してもらおうと持ち込まれましたが、オオヒキガエルは貴重な固有種もどんどん食べてしまいました。マングースと同じようなことが起きたのです。小笠原諸島や沖縄の石垣島には今もすみついてしまっているので、小笠原諸島では人の飲み水が汚染されてしまうといった問題が指摘されたこともあります。環境への悪影響がとても大きいので、特定外来生物にも指定されています。

２０１１年に沖縄本島でも侵入が確認されていて、駆除が進められていました。ただ、私が調査に参加した当時は、すでにかなり駆除が進んでいて、根絶に近づいていた時期でした。数匹でも残っていたら再び繁殖を繰り返して増えてしまうため、注意深く調査して、発見数ゼロのデータを重ねていく段階にきていました。このステップを怠る（おこた）と、これまでの駆除活動が全て水の泡になってしまうので、とても大切な調査でした。

もちろん、「ゼロのデータを重ねる段階」という調査の意義を考えると、見つからない方がよいのですが、せっかく調査に参加するのですから、「よっしゃ、頑張って見つけるぞ」と意気込むのが大学生の性分です。写真でしか見たことのないオオヒキガエルを見てみたい、そんな気持ちもあって調査が始まる前は、かなり前のめりな気持ちでいました。

◉「見つけちゃったらどうしよう」

調査は夜行性のオオヒキガエルにあわせて、夕暮れから始まりました。調査そのものはなかなか地味でした。ヘッドライトを付けたりハンドライトを手にしたりした何人もの参加者が、過去に目撃されたことのある場所やその周辺を何時間も歩いて、オオヒキガエルがいないかひたすら探します。

私は捕獲用のビニール袋を握りしめ、下を向きながらとぼとぼと茂みを歩いていました。あんなに「見つけるぞ」と、意気込んでいたはずなのに、いざ調査が始まると「見つけちゃったらどうしよう」と、不安や後ろめたさが入り交じったような気持ちが少しだけこみ上げてきました。見つけたオオヒキガエルは捕まえて殺処分することになります。特定外来生物なので勝手に飼うこともできません。

大学の授業では、特定外来生物が他の生きものを食べたり、すみかを奪ったりすることで、在来の生きものを減らしたり、生きもの同士のつながりを壊したりすることを学びました。生物多様性にとって大きな脅威でもあり、人間の活動にも悪影響を与えてしまうことも知っていました。駆除する必要があることも、しなければ大好きな沖縄の森がどうなってしまうのかも頭の中では十分に理解しているつもりでした。それでも、いざ駆除の現場に立つと、命を奪う行為にやはり抵抗を感じてしまいました。

しかも相手は雨の日には必ず家に連れて帰っていた、大好きなカエルの仲間です。それまで何度も何度も見てきた図鑑のカエルたちは、私にとっては、在来種だからとか外来種だからといった区別はありませんでした。きれいな写真や絵が並ぶページをめくって「どのカエルも好き」、それで何の問題もなかったのに……。

先を行く友人や大学院の先輩たちは、すたすたと歩みを進めていきます。駆除という行為に何の迷いもなさそうに見えます。みんな私よりもずっと生きものに詳しい人たちです。口をそろえて「駆除しないといけない」と言います。もちろん、「駆除をやめよう」なんて言うつもりはありませんが、ここで「モヤモヤする」なんて言ったら、生きものに関わる人間として失格なんじゃないか、そんなことを考えると、胸のうちにある思いを明かすことができませんでした。

◉対照的だった1匹のゲンゴロウ

調査の途中でもう1つ印象に残った出来事がありました。誰かが茂みの水たまりに、1匹のゲンゴロウがすいすいと泳いでいるのを見つけたのです。なんという種のゲンゴロウだったかは忘れてしまったのですが、もともと沖縄にすんでいる種類でした。生きものが好きな参加者が多いので、数人で水たまりを囲んで、楽しそうに観察しています。

沖縄では侵略的外来種だとしても、私にはオオヒキガエルもとても魅力的な生きものです。ですが、きっと今ここで見つかってしまえばゲンゴロウのように喜ばれたり、楽しんで観察したりすることはできないはずです。オオヒキガエルという生きものへの好奇心や、出会えた感動よりも、駆除対象を発見したということで、とるべき行動を優先することになるからです。

この日の調査では結局、最後までオオヒキガエルは見つかりませんでした。発見数ゼロを積み重ねることができた日でした。オオヒキガエルが再び繁殖しておらず、対策がうまくいっていることに、ひとまず調査に参加した人たちと一緒に安心しました。

それと同時に私は1人の生きもの好きとして、大好きなカエルを殺さずにすんだということにもホッとした気持ちでした。その後も外来種の駆除には何回か携わってきました。それでも、初めての駆除調査に参加した時に感じたこの気持ちや戸惑いは、今でも心に強く残っています。

◉あの日の自分へ声をかけるなら

大学卒業後は記者になり、生きものと人の関わりを取材するようになりました。特定外来生物の駆除など、生きものの命を奪うことに関わる人にも取材をしてきました。意外だったのは、迷いや悩みのような思いを抱えている人も少なくないということでした。自分のような迷いを抱えている人はごくわずかだと思っていたからです。それでも、関わる人はどんな心境を抱いているにせよ、目の前の生きものの命から決して逃げないという姿は共通していました。

もし、オオヒキガエルの調査に参加した、あの日の自分に何か声をかけることができるなら伝えたいことがあります。それは「カエルが好きなら、事実に目を背けないでそこにいる誰よりも目の前の調査に向き合いなさい」ということです。「目の前のオオヒキガエルがかわいそう」という気持ちや愛情、「命は大事」という道徳心だけを根拠に、できるだけ心の痛みを避けられる選択を続けていけば、その時は楽かもしれません。でもそれが広い視野、長い目で見た時にも、適切な判断となるとは限りません。

もちろん、調査に参加していた時、オオヒキガエルを探すことに手を抜いたつもりはありません。けれど、仮に後ろ向きな気持ちがうっかりカエルの発見を見逃してしまうことにつながってしまえば、どうなるでしょうか？　オオヒキガエルの根絶をめざして、それまで数多くの調査員が「1匹も残さない」という強い気持ちで真剣に調査を重ねてきました。後ろめたさという理由でいい加減な探し方をしてしまえば、そうした人々の覚悟や労力を無駄にしてしまっていたでしょう。

なにより、無駄になるのはそれだけではありません。調査の裏にはこれまで根絶のために命を奪われてきた、たくさんのオオヒキガエルがいます。第2章のナガエツルノゲイトウの話でも触れましたが、侵略的外来種の駆除はスピードが大切です。すごい早さで増えてしまうので、それ以上のスピードで駆除を進めなければいけないということです。

駆除のために100匹のオオヒキガエルの命を奪っても、そのスピードが遅くて増えるのに追いつかなかったり、数匹でも見逃してしまうことでまた増殖してしまったりすれば、また新たな100匹のオオヒキガエルの命を奪うことにつながってしまうかもしれません。目の前の調査に真剣に向き合うということは、これまで駆除のために奪ってきた命、駆除によって守ってきた命、そしてこれからも生まれてくる命、この全てを無駄にしないことでもあると今の私は考えています。

目の前の生きものの命を優先しないというのは、命を大切にしていないということと同じ意味ではありません。私たちは目の前にいるカエルのような、自分自身が今見ているものにどうしてもとらわれてしまいます。ですが、その1匹のカエルの向こう側にも、たくさんの命があり、お互いにつながっています。生きものたちの命を守っていくというのは、実はそうした「見えない命」や「命のつながり」も守っていくということでもあります。見えづらいだけで、大切にしているものは、間違いなくそこにはあるのです。

◉気持ちには正解なんてない

そしてもう1つ、あの日の私に伝えたいことがあります。調査に参加した時に感じたモヤモヤや戸惑いについてです。これは決して間違った感情ではありません。さらに言えば、生きものに関わる人間として失格だなんてこともありません。そもそも、そこに正解も間違いもないのです。

命は大切にしなければならない。多くの人はそう思っているはずですし、これからもそのことを学んだり、命の尊さを感じたりする機会はあると思います。私もそうでしたし、今も学んでいるところです。けれど目の前にある生きものの命を最優先にできないことが野生生物の命と向き合う現場には確かにあります。その矛盾に戸惑うのはとても普通のことだと思います。

私自身、今でも侵略的外来種の駆除をする時、心が痛まないと言えば嘘になるように思います。「生きものの命に関わる人はどこか達観しているもの」、そんな風に考え、その姿勢にあこがれのような感情を抱いていたこともありました。もちろんそういう人もいます。けれど、豊かな地球を作っている生きものたちが多様であるように、生きものに関わる人にも様々な多様性があってよいと思うのです。

「生物多様性とは？」のコラムでも紹介しましたが、今地球の生物多様性はどんどん失われています。それは、生きものだけでなく、生きものたちに支えられている私たちの大切な暮らしや文化も失いかねない状況だということです。悲しい未来を招かないために、たくさんの人が生物多様性を守るために力を合わせていくことが必要です。オオヒキガエルの駆除のように、侵略的外来種をこれ以上広げないこともその対策の1つです。

ですが、そこで見たものややってみたことにどんな気持ち、考え、感情を持つかは自由なはずです。「こうあるべきだ」という思い込みや決めつけはむしろ、新しい考えやこれからの選択肢を狭めてしまうかもしれません。行動がばらばらになったり足を引っ張り合ったりして、対策が手遅れになるのはいけませんが、様々な人の様々な思いが重なることで、新しいアイデアや改善策が見つかることだってきっとあるはずです。

あの日、私は「生きものに関わる人間として失格」というレッテルを貼られるのが怖い、という思い込みで友人や先輩、他の参加者に本心を打ち明けることができませんでした。裏を返せば、友人や他の参加者の本音も聞こうとはしていませんでした。迷いがなさそうに見えた他の参加者の背中も、実はそう見えていただけなのかもしれません。モヤモヤや戸惑いを口に出していたら、どうなっただろう？　そんなことを今にして思います。

書いてきた通り、私もまだ悩みの中にいるような状態です。生きものとの付き合い方には考えなければいけないことがたくさんあります。時に、悩むことにしんどさを感じることもあります。

それでも、こうした生きものの現場に関わり続けたいと思うのは、生きものが「好き」という気持ち、そして自分が生きものを通じて得てきた感動をこれから先の未来にも残していきたいからです。私はいわゆるただの生きもの好きの記者で、生きものの専門家ではありません。ですが、だからこそ、そんな「ただの生きもの好き記者」の体験や考えが、これから生きものに関わっていこうとする人や、迷ったり悩んだりしている人にとって、何か役に立つかもしれないと思います。もしそうなったらうれしいです。

参考図書

野生生物の命との向き合い方や、自分にできることについて、さらに考えを深めてみたいとか、保護や駆除以外にも、野生生物と向き合う場面についてもっと知りたいと感じた人もいるかと思います。もしかしたら、これから紹介する本は役に立つかもしれません。この本を書く際にも参考にさせてもらったところがたくさんあります。興味がわいたら、ぜひ手に取ってみてください。

浅川満彦、2021年『野生動物の法獣医学——もの言わぬ死体の叫び』地人書館
有川美紀子(作)、織田和恵(絵)、2023年『ネコがくれたしあわせの約束』あかね書房
岩井雪乃、2017年『ぼくの村がゾウに襲われるわけ。——野生動物と共存するってどんなこと?』合同出版
ウラケン・ボルボックス(著)、五箇公一(監修)、2019年『侵略！ 外来いきもの図鑑——もてあそばれた者たちの逆襲』PARCO出版
河合雅雄、2002年『少年動物誌』福音館文庫

久保田潤一、2022年『絶滅危惧種はそこにいる――身近な生物保全の最前線』角川新書
小坪遊、2020年『「池の水」抜くのは誰のため？――暴走する生き物愛』新潮新書
千松信也、2015年『けもの道の歩き方――猟師が見つめる日本の自然』リトル・モア
島野智之・脇司(編著)、2023年『新種発見物語――足元から深海まで11人の研究者が行く！』岩波ジュニア新書
高槻成紀、2013年『動物を守りたい君へ』岩波ジュニア新書
高槻成紀、2023年『都市のくらしと野生動物の未来』岩波ジュニア新書
田島木綿子、2021年『海獣学者、クジラを解剖する。～海の哺乳類の死体が教えてくれること～』山と溪谷社
長澤淳一・瀬戸口浩彰、2020年『知っておきたい日本の絶滅危惧植物図鑑』創元社
中島淳(著)、大童澄瞳(画)、2023年『自宅で湿地帯ビオトープ！ 生物多様性を守る水辺づくり』大和書房
福原秀一郎、2017年『警視庁 生きものがかり』講談社

おわりに

この本を読んでみていかがでしたか？

「ふむふむそうだなあ」とか「うーん、ちょっと自分とは違うなぁ」とか、人によっていろんな感想があると思いますし、時間が経ってから、またページを開いてもらえると、その時には別の感想を持つかもしれません。

もちろん、どんな感想を持ったとしてもそれはみなさんの自由です。ただ、1つだけ、私たち記者と同じ思いを共有してもらえるとありがたいなと考えていることがあります。それは、この本に登場してくれた人たちについてです。

登場してくれた人たちは、自分自身が悩んだり苦しんだりしたことや、今も悩んでいることなどを話してくれました。その中には、みなさんとは違う意見が含まれていたり、少し分かりにくかったり、納得できないような話も入っていたかもしれません。

でも、考えてみれば、自分の中でうまくまとまっていないことは上手に話せないし、悩みを打ち明けるのは、親しい間柄でも簡単なことではありません。誤解されることもあるし、「大したことないよ」と真剣に考えてもらえないかもしれません。だから、悩みや苦しみを打ち明けるのは、とても勇気がいることです。それに、悩みというのは簡単に解決できるものではないことも少なくありません。生きものの命と向き合うという深い悩みであればなおさらのことです。

「1頭のシカを保護するけど、地域では100頭のシカが駆除されている」「クサガメを駆除した方がいいと頭では分かっているけど、どうしてもできない」「村の象徴のハイビスカスを切るべきか残すべきか」「生きものの命を守るために獣医師になったのに、マングースの命を奪わざるを得なかった」。どんな道を選んでも苦しい選択や、100%の正解がない問いかけに逃げずに向き合っていること、そしてその時に感じた気持ちを話してくれた人たちを、取材チームの3人はとても尊敬しています（最後に自分自身の思いを綴ってくれた矢田記者のことも、杉浦記者と小坪記者はこっそり尊敬しています）。

この本は、こうした人たちの協力がなければできませんでした。だからみなさんにも、自分の考えや意見とは違う部分があったとしても、野生生物の命と向き合っている人たちの考えや意見にきちんと耳を傾けてほしいと願っています。

最後になりましたが、本を書くために、いろんな人に取材をさせていただきました。名前は登場していないけれども、様々な形で協力してくださった人たちもたくさんいます。執筆は3人で取り組みましたが、本はそれだけではできませんでした。表紙は吉野由起子さんにお願いしました。執筆中の取材チームにとって、吉野さんの絵を見るのは、大きな楽しみでした。そして、ちょっとした思いつきのようなところから、この本を書き上げていくのにあたって、岩波書店の須藤建さんと塩田春香さんからたくさんのアドバイスやアイデアをいただきました。記して皆様に感謝申し上げます。

2024年6月

朝日新聞取材チーム(矢田文、杉浦奈実、小坪遊)

朝日新聞取材チーム

矢田　文(やだ・ふみ)
朝日新聞科学みらい部記者．生物多様性や環境問題に伴う格差などが関心分野．特に水辺の生きものが好きで自宅でウツボを飼っている．

杉浦奈実(すぎうら・なみ)
朝日新聞熊本総局記者．生態系保全の現場などを取材してきた．休日は山か海か草原にいることが多い．

小坪　遊(こつぼ・ゆう)
朝日新聞科学みらい部次長．著書に『「池の水」抜くのは誰のため? 暴走する生き物愛』(新潮新書)．

野生生物は「やさしさ」だけで守れるか？
—命と向きあう現場から　　岩波ジュニア新書 988

2024年7月19日　第1刷発行

著　者　朝日新聞取材チーム(あさひしんぶんしゅざい)

発行者　坂本政謙

発行所　株式会社 岩波書店
〒101-8002 東京都千代田区一ツ橋 2-5-5
案内 03-5210-4000　営業部 03-5210-4111
ジュニア新書編集部 03-5210-4065
https://www.iwanami.co.jp/

印刷製本・法令印刷　カバー・精興社

ISBN 978-4-00-500988-6　　Printed in Japan

岩波ジュニア新書の発足に際して

きみたち若い世代は人生の出発点に立っています。きみたちの未来は大きな可能性に満ち、陽春の日のようにひかり輝いています。勉学に体力づくりに、明るくはつらつとした日々を送っていることでしょう。

しかしながら、現代の社会は、また、さまざまな矛盾をはらんでいます。営々として築かれた人類の歴史のなかで、幾千億の先達たちの英知と努力によって、未知が究明され、人類の進歩がもたらされ、大きく文化として蓄積されてきました。にもかかわらず現代は、核戦争による人類絶滅の危機、貧富の差をはじめとするさまざまな人間的不平等、社会と科学の発展が一方においてもたらした環境の破壊、エネルギーや食糧問題の不安等々、来るべき二十一世紀を前にして、解決を迫られているたくさんの大きな課題がひしめいています。現実の世界はきわめて厳しく、人類の平和と発展のためには、きみたちの新しい英知と真摯な努力が切実に必要とされています。

きみたちの前途には、こうした人類の明日の運命が託されています。ですから、たとえば現在の学校で生じているささいな「学力」の差、あるいは家庭環境などによる条件の違いにとらわれて、自分の将来を見限ったりはしないでほしいと思います。個々人の能力とか才能は、いつどこで開花するか計り知れないものがありますし、努力と鍛練の積み重ねの上にこそ切り開かれるものですから、簡単に可能性を放棄したり、容易に「現実」と妥協したりすることのないようにと願っています。

わたしたちは、これから人生を歩むきみたちが、生きることのほんとうの意味を問い、大きく明日をひらくことを心から期待して、ここに新たに岩波ジュニア新書を創刊します。現実に立ち向かうために必要とする知性、豊かな感性と想像力を、きみたちが自らのなかに育てるのに役立ててもらえるよう、すぐれた執筆者による適切な話題を、豊富な写真や挿絵とともに書き下ろしで提供します。若い世代の良き話し相手として、このシリーズを注目してください。わたしたちもまた、きみたちの明日に刮目しています。(一九七九年六月)